美《び》少《しょう》女《じょ》戦《せん》士《し》 セーラームーン

17

美少女戦士《びしょうじょせんし》セーラームーン

前巻《ぜんかん》リプレイ

この物語《ものがたり》の主人公《しゅじんこう》

プリンセス・セレニティ
うさぎの前世《ぜんせ》の姿《すがた》

月野《つきの》うさぎ↔セーラームーン
うさぎは，ドジな女《おんな》の子《こ》。セーラームーンに変身《へんしん》して，正義《せいぎ》のために戦《たたか》う!!

うさぎとともに戦《たたか》う美少女戦士《びしょうじょせんし》たち

愛野美奈子《あいのみなこ》↔
セーラーヴィーナス

木野《きの》まこと↔
セーラージュピター

火野《ひの》レイ↔
セーラーマーズ

水野亜美《みずのあみ》↔
セーラーマーキュリー

ルナ アルテミス
ダイアナ(人間姿《にんげんすがた》)

↔

ルナ アルテミス
ダイアナ

ちびうさ↔
セーラーちびムーン

うさぎちゃんをとりまく人《ひと》たち

冥王《めいおう》せつな↔
セーラープルート

海王《かいおう》みちる↔
セーラーネプチューン

天王《てんおう》はるか↔
セーラーウラヌス

タキシード仮面《かめん》

↔

前世《ぜんせ》からの、うさぎの恋人《こいびと》。

地場《ちば》 衛《まもる》

土萠《ともえ》ほたる↔
セーラーサターン

セーラーギャラクシア

セーラースターライツ

ちびちび

これまでのお話《はなし》

☆主人公《しゆじんこう》の月野《つきの》うさぎは，ドジで泣《な》き虫《むし》な高校《こうこう》１年生《ねんせい》の女《おんな》の子《こ》です。しかし，じつは愛《あい》と正義《せいぎ》のために戦《たたか》う美少女戦士《びしようじよせんし》セーラームーンなのです。

☆うさぎを助《たす》ける黒《くろ》ネコのルナや，仲間《なかま》の美少女戦士《びしようじよせんし》たち，そしてタキシード仮面《かめん》やちびうさたちとともに，ダーク・キングダム，ブラック・ムーン，デス・バスターズ，デッド・ムーンたちの野望《やぼう》を打《う》ちくだいてきました。

☆そんなうさぎたちのまえにあらわれたのが，セーラーギャラクシアが率《ひき》いるシャドウ・ギャラクティカ。最強《さいきよう》・最悪《さいあく》のセーラー戦士軍団《せんしぐんだん》のまえに，味方《みかた》のセーラー戦士《せんし》がつぎつぎと戦死《せんし》！　苦戦《くせん》するセーラームーンに，謎《なぞ》の存在《そんざい》であるセーラースターライツとちびちびが……!?

Act《アクト》 46《フォーテイシックス》 スターズ 4《フォー》

美《び》少《しょう》女《じょ》戦《せん》士《し》
セーラームーン

――こんな
こんな近《ちか》くにいたなんて
ずっと……
ずっとさがしておりましたわが姫君《ひめぎみ》

……星野《セイヤ》
大気《タイキ》……
夜天《ヤテン》……
やっと会《あ》えた……!
ずっときこえていましたあなたたちの歌声《うたごえ》が
心《こころ》の声《こえ》が……
——何度《なんど》もあなたたちのもとへゆこうと思《おも》いました
でも 体《からだ》の回復《かいふく》に思《おも》ったより時間《じかん》がかかってしまって……
ちびちびちゃんがわたしを
助《たす》けてくれたの

あなたたち 三人《にん》のことも 教《おし》えてくれたわ
そして セーラームーンの ことも
ずっと わたしを守《まも》って はげまして くれていたの
ちびちび…?
おまえは いったい……?
感《かん》じたわ あなたの 癒《いや》しの 星《ほし》のパワー
あなたも また セーラー戦士《せんし》 なのでしょう? ちびちびちゃん

にこっ♡
ちびちび・
クリスタル
パワーーッ!!
メイク・
アーーッップ!!

フワッ
セーラー戦士《せんし》!?
現《あらわ》れたわね
ぺろん
裏《うら》切《ぎ》り者《もの》ッ!
なに!?
あたしが
化《ば》け猫《ねこ》なら

おまえたちも
化《ば》け猫《ねこ》よっ！
ルナ！
アルテミス!!
くるんっ
ちっ
にがさない
わよ！

にゃんこちゃん!?
いいえ 敵《てき》!?
シルバー・ムーン・クリスタル・パワー
メイク・アップ!!
!?
ギャラクティカ
パペット!!

バチバチッ
セーラームーン!!
アタシとお友《とも》だちになりたいのねセーラームーン♡じゃ自己紹介《じこしょうかい》といきましょうか♡
バチバチッ
あたしはセーラーティンにゃんこ♡
やっぱり！マウ星人《せいじん》!?
神聖《しんせい》な名《な》を語《かた》るなんて！ セーラー戦士《せんし》の
わがマウのたったひとりの英雄《えいゆう》セーラーマウの誇《ほこ》りにキズをつけるようなマネを！

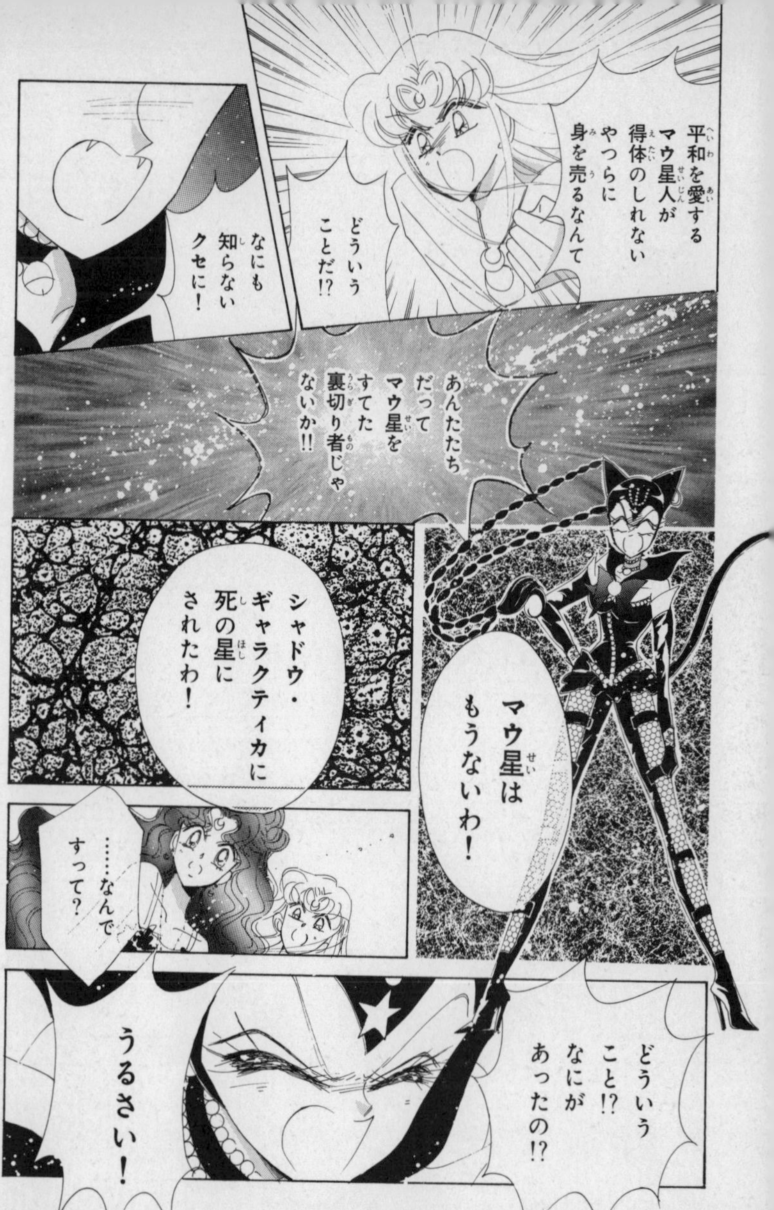
平和《へいわ》を愛《あい》するマウ星人《せいじん》が得体《えたい》のしれないやつらに身《み》を売《う》るなんて
どういうことだ!?
なにも知《し》らないクセに!
あんたたちだってマウ星《せい》をすてた裏切《うらぎ》り者《もの》じゃないか!!
マウ星《せい》はもうないわ!
シャドウ・ギャラクティカに死《し》の星《ほし》にされたわ!
……なんですって?
どういうこと!? なにがあったの!?
うるさい!

あたしは
この戦《たたか》いに
勝《か》ち残《のこ》り
この
ブレスレットを
はずして
もとの完全《かんぜん》な
肉体《にくたい》を
もらうのよ!
わああっ!!
そして
ギャラクシアさまに
セーラー
クリスタルをもらい
わたしだけの
星《ほし》を
手《て》に入《い》れ
ほんものの
セーラー戦士《せんし》に
なるのよ!!
ルナ!!
アルテミス!!
ルナと
アルテミスが
マウ星人《せいじん》──!
フォボス
ディモスと
同《おな》じように
二人《ふたり》には
母星《ぼせい》が──!

そして 二人《ふたり》は
遠《とお》いふるさとを
はなれ
太陽系《たいようけい》へと
あたしたちの
ために――
バッ
やめて!!
同《おな》じ星《ほし》の
仲間《なかま》なのに
ダイアナ!?
パパちゃま!
ママちゃま!
きゃあぁ

ダイアナ!?
…
はっ
ダイアナ!?

ダイアナ?
どこ!?
ダイアナ!?
ニャー
ニャー
ニャー
しゃべれない!?
いまの攻撃《こうげき》で!?
バッ

目《め》をさますのよ！
にゃんこちゃん!!
ククッ！
!?

!!
ルナ!!
アルテミス!!

バチッ
バチッ
ダイアナ!!
ルナ!
アルテミス!
ミュー
ミュー
しっかりして!!
あたしのせいだ
あたしが いつも
みんなを
こんな運命《うんめい》に
まきこんでしまう!
バカな!
自《みずか》ら
とびこんで
くるなんて
スター
シリアス
レイザー——ッ!!

ドオッ
スッ
スター ファイター――
スター ヒーラー スター メイカー――
ちびちび!?
まだ 息《いき》はある

わたしたちの家《いえ》へ――
あなたは……
わたしは火球《かきゅう》――
キンモク星《せい》の丹桂王国《たんけいおうこく》第一皇女《だいいちこうじょ》火球《かきゅう》ともうします

この者《もの》たちのご無礼《ぶれい》どうかおゆるしください
この者《もの》たちは
三人《にん》ともわがキンモク星系《せいけい》の守護戦士《しゅごせんし》なのです
はじめましてセーラームーン
——いいえシルバー・ミレニアムの次期女王《じきじょおう》ネオ・クイーン・セレニティ
なぜあたしのことを……
太陽系《たいようけい》の強《つよ》く美《うつく》しい守護戦士《しゅごせんし》たちは
銀河《ぎんが》にちらばるセーラー戦士《せんし》たちのあこがれです

あなたがプリンスの手《て》をとり
この星《ほし》の次期《じき》キングとクイーンの輝《かがや》きを見《み》せたあの一瞬《いっしゅん》——
その生命力《せいめいりょく》にあふれた星《ほし》の光《ひかり》のパワーは
時空《じくう》をこえて
銀河《ぎんが》じゅうにつたわりました
それは見《み》たこともない強《つよ》く白《しろ》く熱《あつ》い太陽系《たいようけい》からのメッセージでした
ずっとお会《あ》いしたかったあなたに
よかったまだ息《いき》がある…!
ミュー
ミューッ
ミューッ
手《て》あてを

この者《もの》たちの スター・シードも まるで セーラークリスタルの ようなパワーと 輝《かがや》きがある——！
ミュー！っ ミュー
無事《ぶじ》で よかった…！
プリンセス
敵《てき》は とどめを させずに 逃《に》げ帰《かえ》りました 心《こころ》までは 支配《しはい》されていなかった ようす——
セーラームーン
どうか この銀河《ぎんが》を 救《すく》ってください
いま 銀河《ぎんが》は 恐《おそ》ろしいことに なっているのです セーラーギャラクシアが 銀河《ぎんが》じゅうの セーラー戦士《せんし》の いる星《ほし》を おそいはじめたの

セーラー戦士《せんし》たちは セーラークリスタルを うばわれ 人々《ひとびと》も 街《まち》もおそわれ 星《ほし》は つぎつぎと 破壊《はかい》されていった
そして ギャラクシアは 野心《やしん》と力《パワー》をもつ 若者《わかもの》たちを つぎつぎと狩《か》り出《だ》し 配下《はいか》にしてゆき
「シャドウ・ギャラクティカ」という名《な》の 恐《おそ》ろしい帝国《ていこく》を 築《きず》いたの
いままで あなたがたを おそってきた 者《もの》たちは
ほとんど みんな 真《しん》の セーラー戦士《せんし》では ありません
ギャラクシアの ブレスレットに 支配《しはい》され 利用《りよう》されている 罪《つみ》なき者《もの》たち ばかり——
セーラー戦士《せんし》で ないゆえ その ギャラクシアの ブレスレットの力《パワー》に おしつぶされ 命《いのち》を失《うしな》った者《もの》も……

—銀河《ぎんが》の セーラー戦士《せんし》たちが 母星《ほせい》をおそわれ
ギャラクシアに 命《いのち》を……!?
セーラー ギャラクシア それは
破壊《はかい》の 戦士《せんし》——!
ギャラクシアに おそわれた星《ほし》は 命《いのち》ある者《もの》も ない者《もの》も すべて滅《ほろ》ぼされ 死《し》の星《ほし》になる
あの人《ひと》も……
目《め》の前《まえ》で……

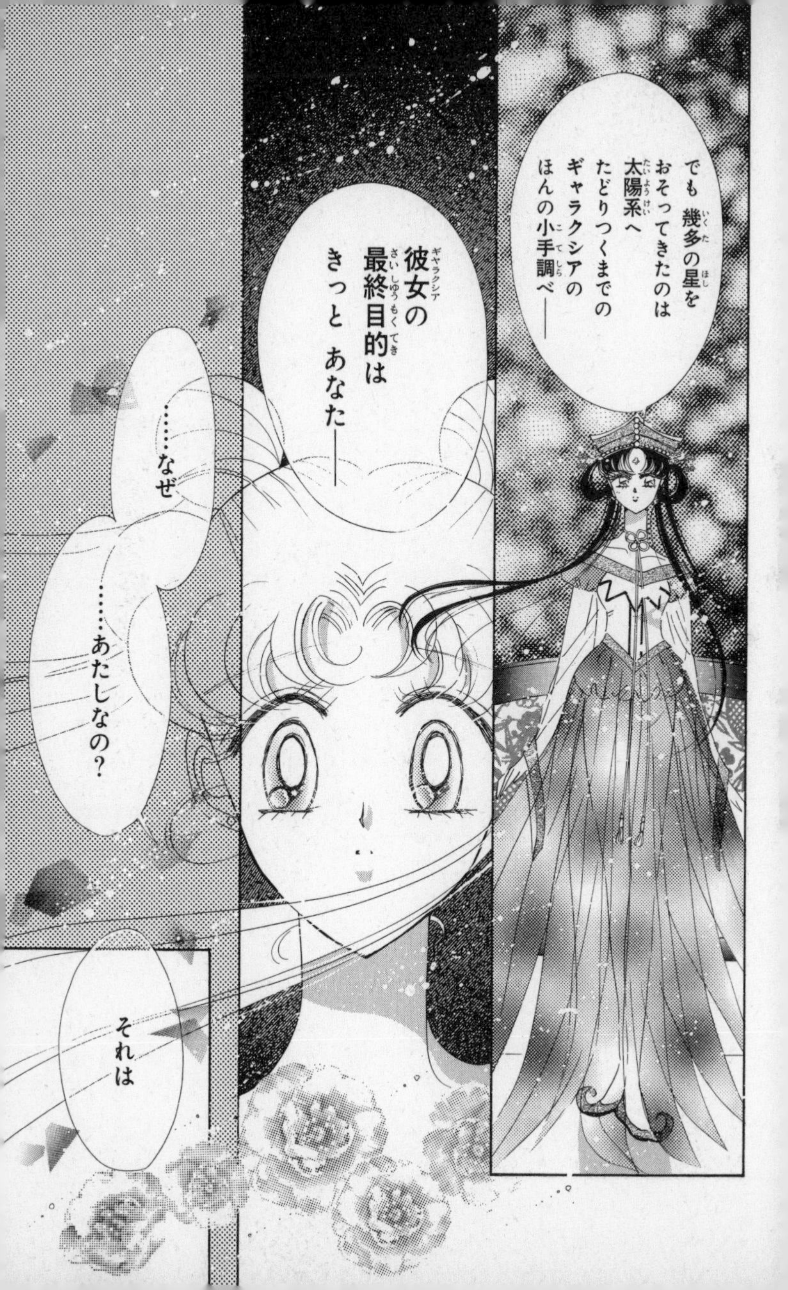
でも 幾多《いくた》の星《ほし》を おそってきたのは 太陽系《たいようけい》へ たどりつくまでの ギャラクシアの ほんの小手調《こてしら》べ――
彼女《ギャラクシア》の 最終目的《さいしゅうもくてき》は きっと あなた――
……なぜ
……あたしなの？
それは

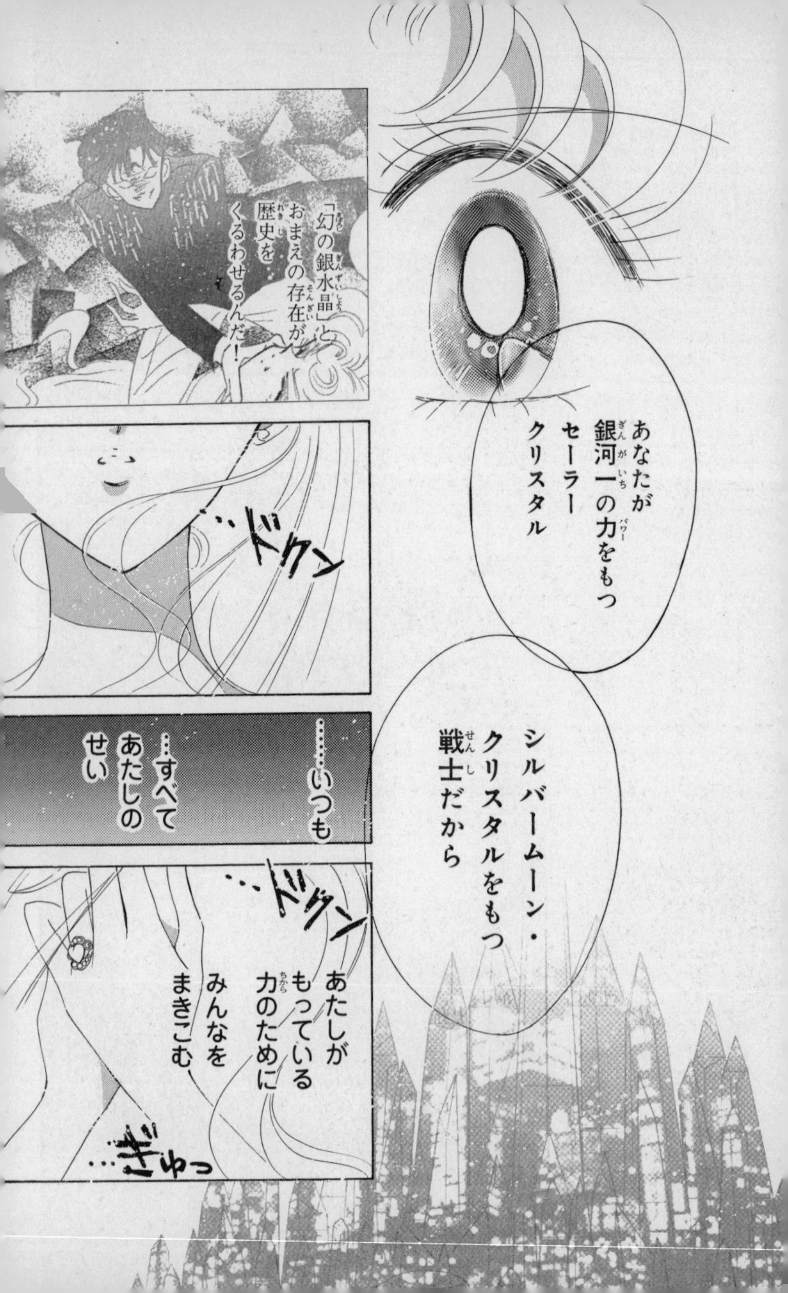

あなたが銀河一《ぎんがいち》の力《パワー》をもつセーラークリスタル
シルバームーン・クリスタルをもつ戦士《せんし》だから
「幻《まぼろし》の銀水晶《ぎんずいしょう》」とおまえの存在《そんざい》が歴史《れきし》をくるわせるんだ!
…ドクン
……いつも
…すべてあたしのせい
…ドクン
あたしがもっている力《ちから》のためにみんなをまきこむ
…ぎゅっ

戦《たたか》いがおこる
ギャラクシアはどこにいるの？
……あたしの一番《いちばん》たいせつな人《ひと》たちのクリスタルも……奪《うば》われたわ
仲間《なかま》のクリスタルをとりもどさなければ……
いかなければギャラクシアのもとへ……！
——わたしが道《みち》を案内《あんない》しましょう
プリンセス!?

この銀河《ぎんが》を救《すく》えるのはセーラームーンあなただけ――
ギャラクシアのいる場所《ばしょ》は銀河《ぎんが》の中心《ちゅうしん》です
――銀河《ぎんが》の中心《ちゅうしん》――!
ポーン
……銀河《ぎんが》には
この太陽系《たいようけい》のような星系《せいけい》がたくさんあるのね
よじっ

太陽系《たいようけい》は 特別《とくべつ》な 場所《ばしょ》です
こんなに バランスよく育《そだ》ち 完成《かんせい》された 星系《せいけい》は ほかには ない
とちゅうで うまく 育《そだ》たなくなり 死《し》んでしまう星《ほし》も たくさん あります
「育《そだ》つ」？
星《ほし》は みんな 「種《スターシード》」から 育《そだ》つんだよ
星《ほし》だけじゃない ——大《おお》きさも 形態《けいたい》も その名《な》も さまざまだけど
命《いのち》ある者《もの》は みんな 「種《スターシード》」から 育《そだ》つんだ
この星《ほし》も この星《ほし》の 人《ひと》たちも 「種《スターシード》」をもってる
ぼくらの 星《ほし》も そう ——そして

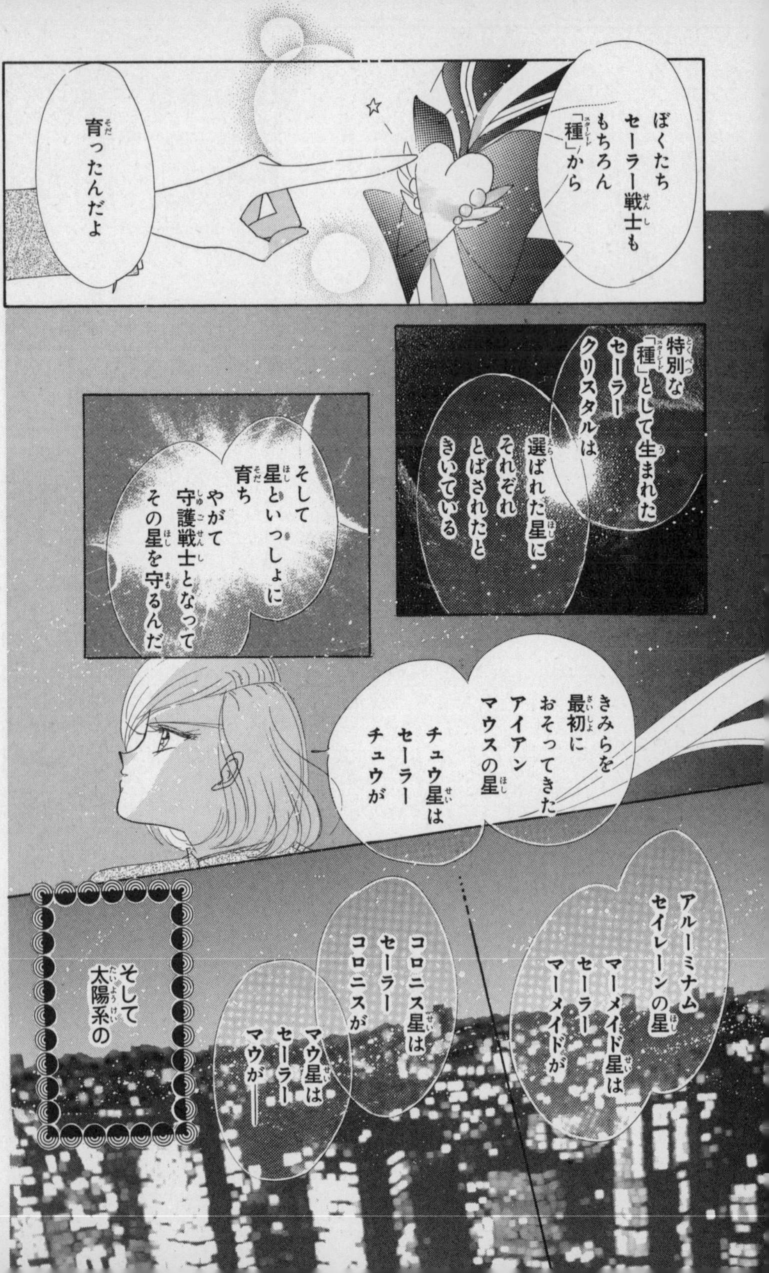
ぼくたち セーラー戦士《せんし》も もちろん 「種《スターシード》」から
育《そだ》ったんだよ
特別《とくべつ》な 「種《スターシード》」として生《う》まれた セーラー クリスタルは
選《えら》ばれた星《ほし》に それぞれ とばされたと きいている
そして 星《ほし》といっしょに 育《そだ》ち やがて 守護戦士《しゅごせんし》となって その星《ほし》を守《まも》るんだ
きみらを 最初《さいしょ》に おそってきた アイアン マウスの星《ほし》
チュウ星《せい》は セーラー チュウが
アルーミナム セイレーンの星《ほし》 マーメイド星《せい》は セーラー マーメイドが
コロニス星《せい》は セーラー コロニスが
マウ星《せい》は セーラー マウが——
そして 太陽系《たいようけい》の

水星《すいせい》はセーラーマーキュリーが
金星《きんせい》はセーラーヴィーナスが
火星《かせい》はセーラーマーズが
木星《もくせい》はセーラージュピターが
そして地球《ちきゅう》はあたしとまもちゃんが……
…だいじょうぶ
もう泣《な》かないわ

これから ギャラクシアとの 戦《たたか》いが まっているんだもの
……きみは
いままでも ずっと こんな重《おも》い 翼《つばさ》を 背負《せお》って きたんだろうか
……プリンセス 火球《かきゅう》も
最愛《さいあい》の 恋人《こいびと》を ギャラクシアに…
セーラームーン ——銀河《ぎんが》で どんな戦《たたか》いが まっていても
ぼくらは きみの そばについて 力《ちから》になる かならず きみを守《まも》る

…ありがとう
…もしも
あたしが セーラー戦士《せんし》で なかったなら
こうして 仲間《なかま》たちに 手《て》をさしのべて もらうことも
出会《であ》う ことさえも なかったのかしら
セーラー戦士《せんし》の すべては セーラー クリスタルの 内《うち》にある
未知《みち》の結晶《けっしょう》 セーラークリスタルは 消《き》えたりしない！
もしも シルバー・ムーン・ クリスタルが 存在《そんざい》しなかったなら
あたしも 生《う》まれることは なかったのかしら
…肉体《カラダ》も 永遠《えいえん》に 消《き》えなかったら いいのに

また
生《う》まれてくればいい
もうおそい
おくっていくよ
だいじょうぶ
ぶ
二人《ふたり》で帰《かえ》れるわ
…ありがとう

……銀河《ぎんが》一《いち》 身分《みぶん》ちがいな
片思《かたおも》いかも しれないな セイヤ
あ──っ♡ ブランコ!
ちびちびっ☆ もう 帰《かえ》らないと ママが心配《しんぱい》するわよ
ちょっと だけ──っっ♡
キイッ
ミューミュー

んもーっ
わーいっ♡
キイッ
…フシギなコね あんたってば
あたしにはなーんにも教《おし》えてくれなくて
だけど みょうに なつかしくて にくめなくて
安心《あんしん》する
なんにもいわなくてもなにかがわかるような……
ちびちびもセーラー戦士《せんし》だったなんてびっくりしちゃった
…いったいおまえはどこからきたの?
おまえはだあれ?

あたしは
あたしよ
にこっ
あたしは
あたし……
はっ☆
コラッ☆ また はぐらかしたわねっ
ちゃんと こたえなさい ちびちびっ☆
きゃははっ
キィッ
コロコロ

……だれ？
ありがとう

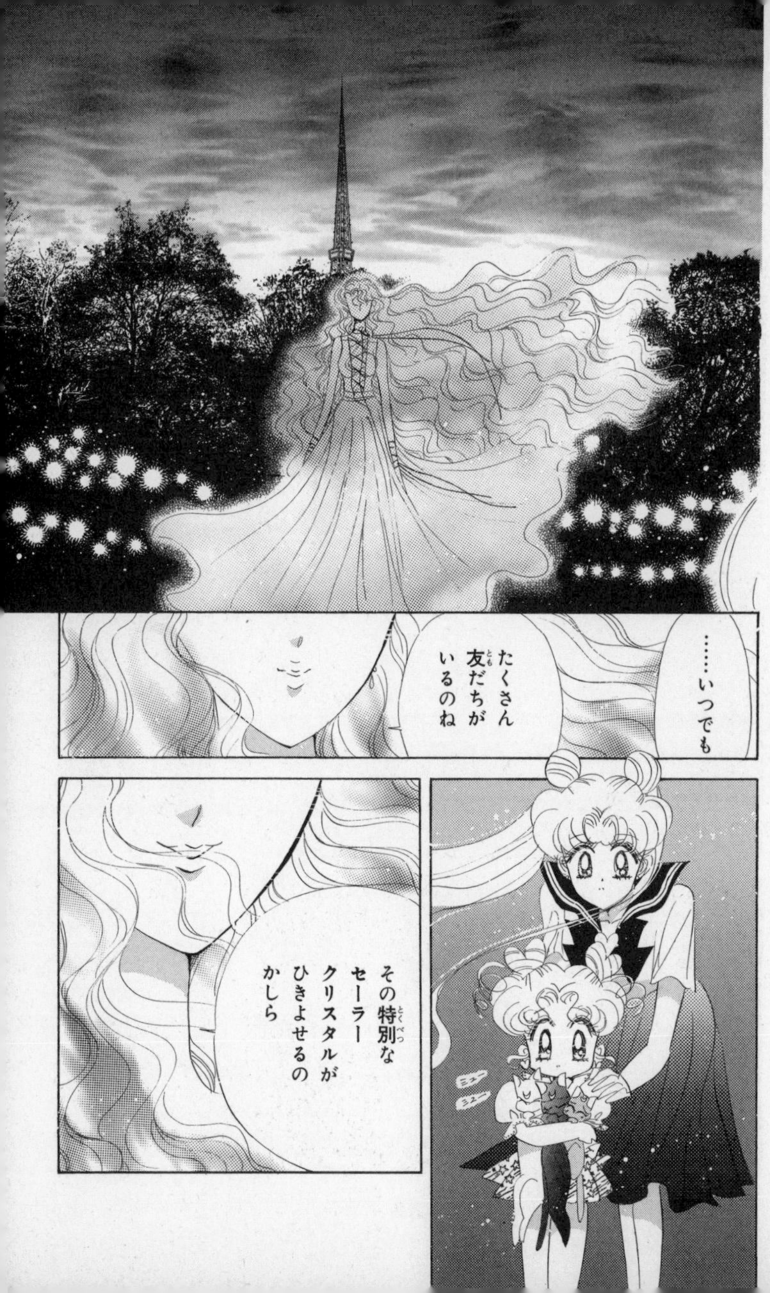
……いつでも
たくさん友《とも》だちがいるのね
その特別《とくべつ》なセーラークリスタルがひきよせるのかしら
ミュー
ミュー

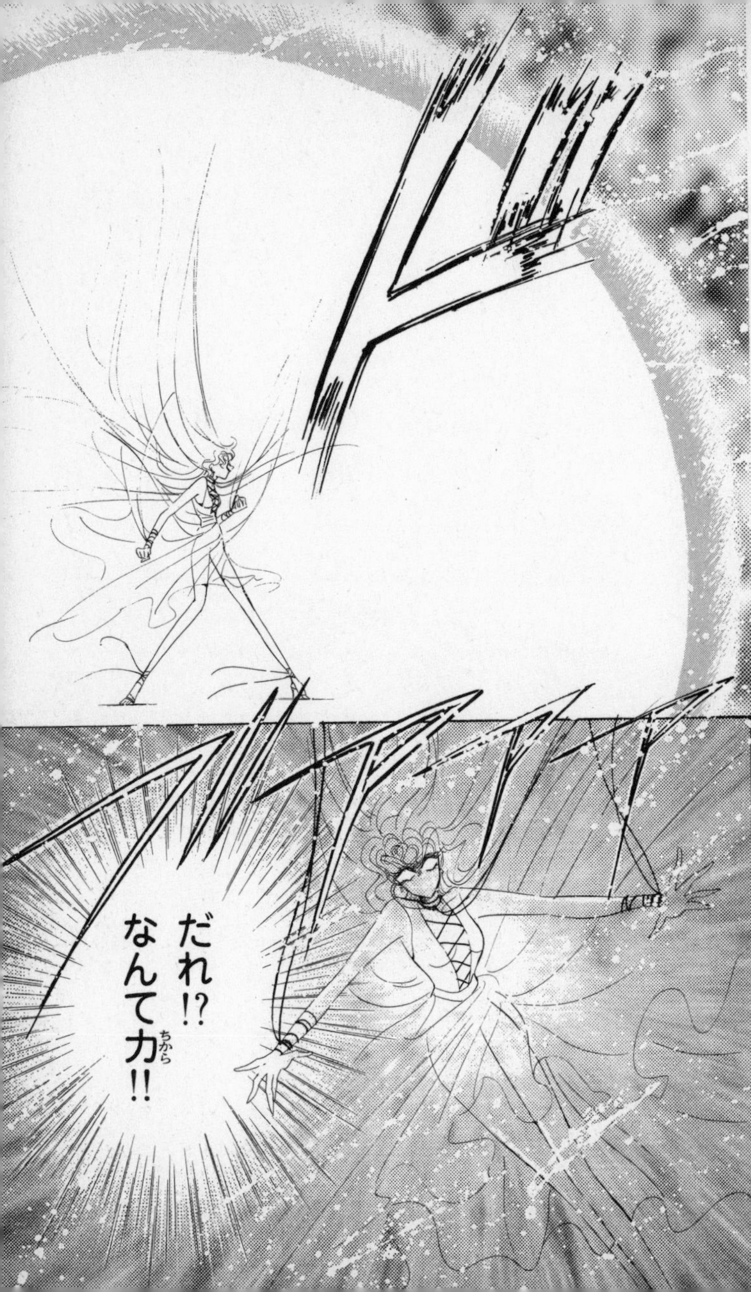
だれ!?
なんて力《ちから》!!

ザザァァァァ
嵐《あらし》!?
この強《つよ》いパワーは!!
――いままでの敵《てき》とちがう!!
だれ!?

セーラーギャラクシア それは
破壊《はかい》の戦士《せんし》ーー!
まさかーー!

まさか——!!

美《び》少《しょう》女《じょ》戦《せん》士《し》
セーラームーン
Act《アクト》 47《フォーテイセブン》 スターズ 5《ファイブ》

街《まち》が!!
ふきとばされる——!
まにあわない——!!
あたしひとりじゃもちこたえられない——!!

なんて力《パワー》 いままでの 敵《てき》の 比《ひ》じゃない!!
ウラヌス! ネプチューン!! プルート!!
三人《にん》は 侵入者《しんにゅうしゃ》と 銀河周辺部《ぎんがしゅうへんぶ》を 調《しら》べるために 自分《じぶん》たちの城《キャッスル》にいったの すぐに連絡《れんらく》が入《はい》ると思《おも》うわ
ウラヌス! ネプチューン! プルート! 返事《へんじ》をして!
敵《てき》が現《あらわ》れたの! お願《ねが》い あたしに 力《ちから》をかして!!

!?
ククッ
──これは……！
幻覚《げんかく》よ!!
三人《にん》は──
きっと無事《ぶじ》よ!!
──みんなの
クリスタルを
とりもどし
みんなを もとの
無事《ぶじ》な姿《すがた》で
とりもどし
あたしたちは
一刻《いっこく》もはやく
ひとつになって
この星《ほし》を
守《まも》るのよ!!

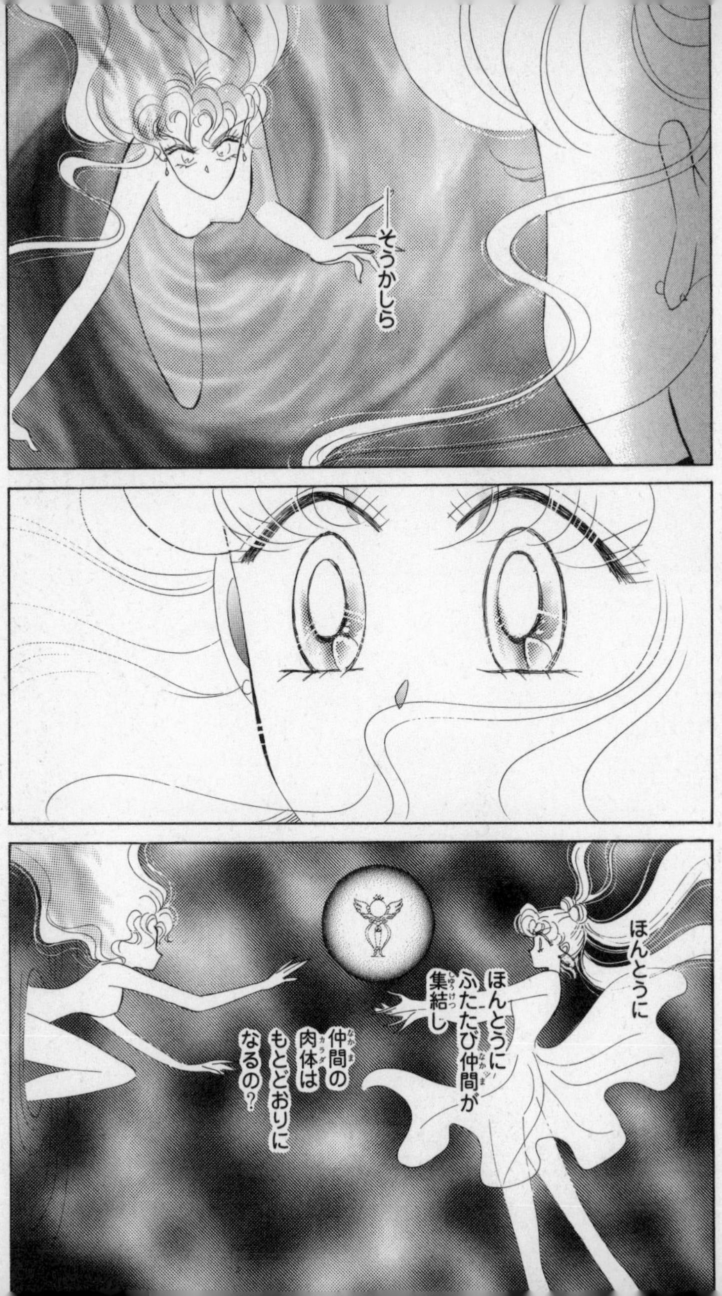
そうかしら
ほんとうに
ほんとうに ふたたび仲間《なかま》が 集結《しゅうけつ》し
仲間《なかま》の 肉体《カラダ》は もとどおりに なるの？

だって
あたしたちは いつでも ひとつに なって……
未来《みらい》まで 戦《たたか》いつづけて……
聖杯《せいはい》が……
ほんとうに
あなたの知《し》る 未来《みらい》は 「未来《みらい》」 なの？
…ドクン
…ドクン
——ほんとうに

あなたの知《し》る「未来《みらい》」はやってくるの？
どうしたの？これでおわり？
クッ
これではこの星《ほし》は
ドリオオオオ
ふきとんでしまうわよ

パ
パアッ
!?
パアアア

くっ!!
!!
セーラームーン!!
ちびちび!!

——だいじょぶ
はあっ
襲《おそ》ってきたのね 敵《てき》は
きえちゃったの！
街《まち》が
もとどおりに…！
変身《へんしん》せずに
なんて再生力《さいせいりょく》なの
ギャラクシアと互角《ごかく》に戦《たたか》える
これがシルバームーン・クリスタルの力《ちから》か——

ヒュゥゥ
――星《ほし》の生《う》まれるところを知《し》っているか？
強《つよ》い星《ほし》も弱《よわ》い星《ほし》も
光《ひかり》も力《ちから》も
すべてそこから生《う》まれるんだ
そこはどこだ!?
そこを手《て》にいれれば星《ほし》を自由《じゆう》にあやつれるってことか！
ガタン
星《ほし》を支配《しはい》できれば宇宙《うちゅう》はオレのものだ！
オレは神《かみ》になれるぞ！
こんな人生《じんせい》とはおさらばだ!!
わあっ

ガタン
クズは
死《し》ぬまでクズのままよ
ざわっ
どこへいってもクズばかり
クズな星《ほし》ばかり
ここもわたしの星《ほし》じゃなかった
ありあまるわたしのこの力《ちから》──
──わたしこそ神《かみ》に選《えら》ばれた者《もの》なのだ

もっと強大《きょうだい》な 力《ちから》がほしい
どこかに あるはずなの
わたしに もっと力《ちから》を 与《あた》えてくれる わたしにふさわしい 輝《かがや》ける星《ほし》が——
ざわ
ざわ…
——星《ほし》の 生《う》まれる ところ？
おお！ 知《し》って いるとも
銀河《ぎんが》の 故郷《こきょう》
星々《ほしぼし》の種《たね》が 泉《いずみ》となって 湧《わ》きいでる場所《ばしょ》
——いて座《ざ》 ゼロ・スターだ
そこは
銀河《ぎんが》の 中心《ちゅうしん》だ

——銀河《ぎんが》の中心《ちゅうしん》
——おいで
おいで
かわいい わたしの 子《こ》どもたち
おまえの もとめる 真《しん》の星《ほし》が どこにあるのか
教《おし》えて あげよう この母《はは》なる わたしが
教《おし》えて やろう このカオスが すべてを

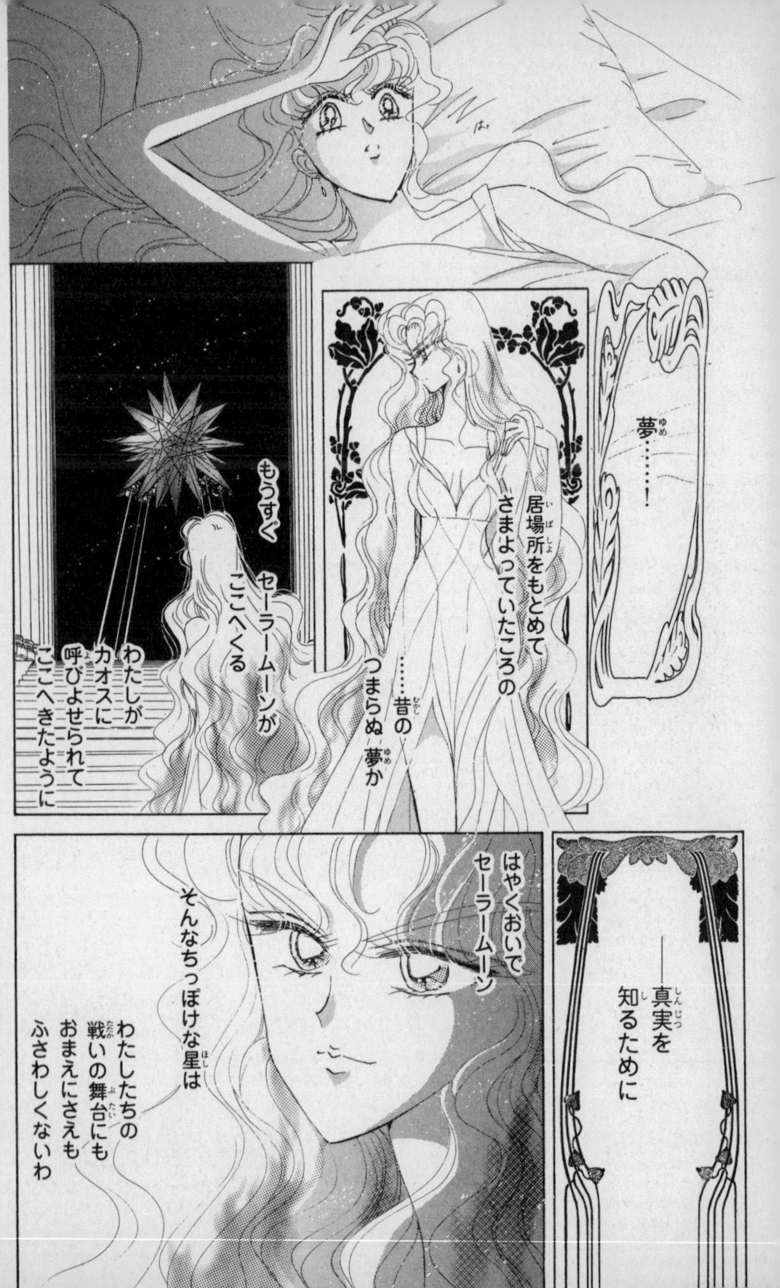
は
夢《ゆめ》……!
居場所《いばしょ》をもとめて
さまよっていたころの
……昔《むかし》の
つまらぬ夢《ゆめ》か
もうすぐ
セーラームーンが
ここへくる
わたしが
カオスに
呼《よ》びよせられて
ここへきたように
――真実《しんじつ》を
知《し》るために
はやくおいで
セーラームーン
そんなちっぽけな星《ほし》は
わたしたちの
戦《たた》いの舞台《ぶたい》にも
おまえにさえも
ふさわしくないわ

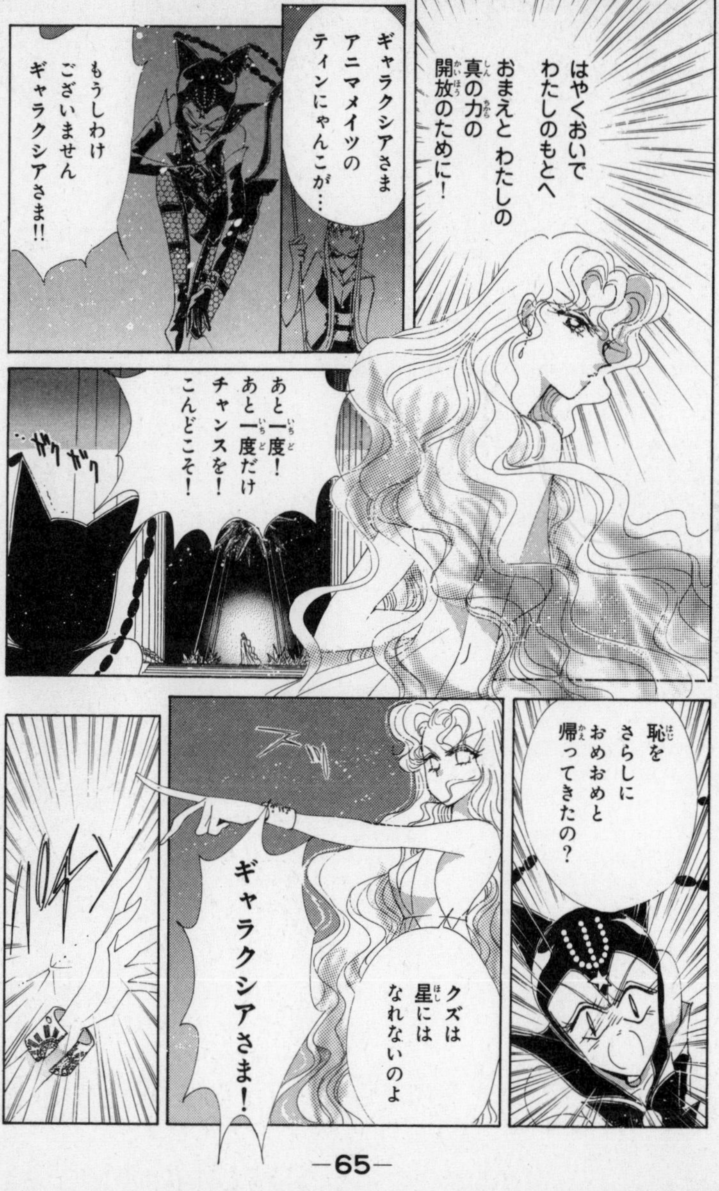
はやくおいで
わたしのもとへ
おまえと わたしの
真《しん》の力《ちから》の
開《かい》放《ほう》のために!
ギャラクシアさま
アニマメイツの
ティンにゃんこが…
もうしわけ
ございません
ギャラクシアさま!!
あと一《いち》度《ど》!
あと一《いち》度《ど》だけ
チャンスを!
こんどこそ!
ガクガク
恥《はじ》を
さらしに
おめおめと
帰《かえ》ってきたの?
クズは
星《ほし》には
なれないのよ
ギャラクシアさま!

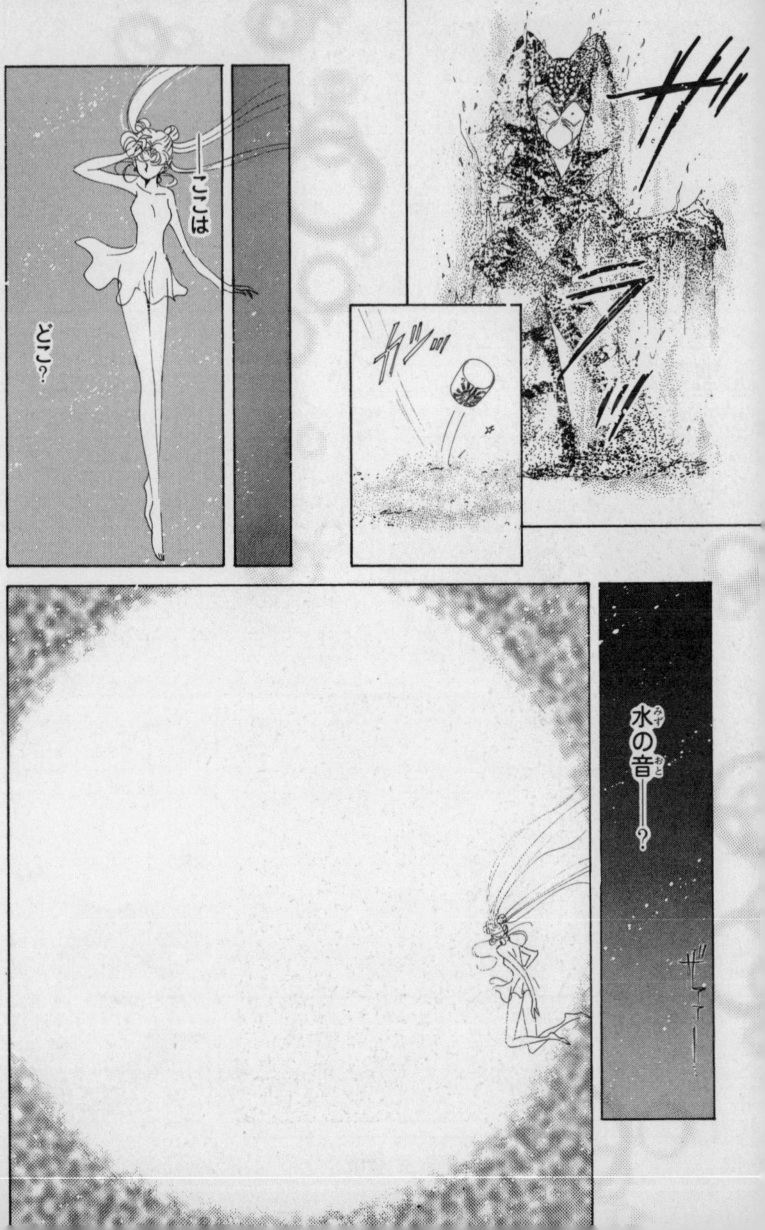
ザラッ
カツッ
——ここは
どこ?
水《みず》の音《おと》——?
ザァァー…

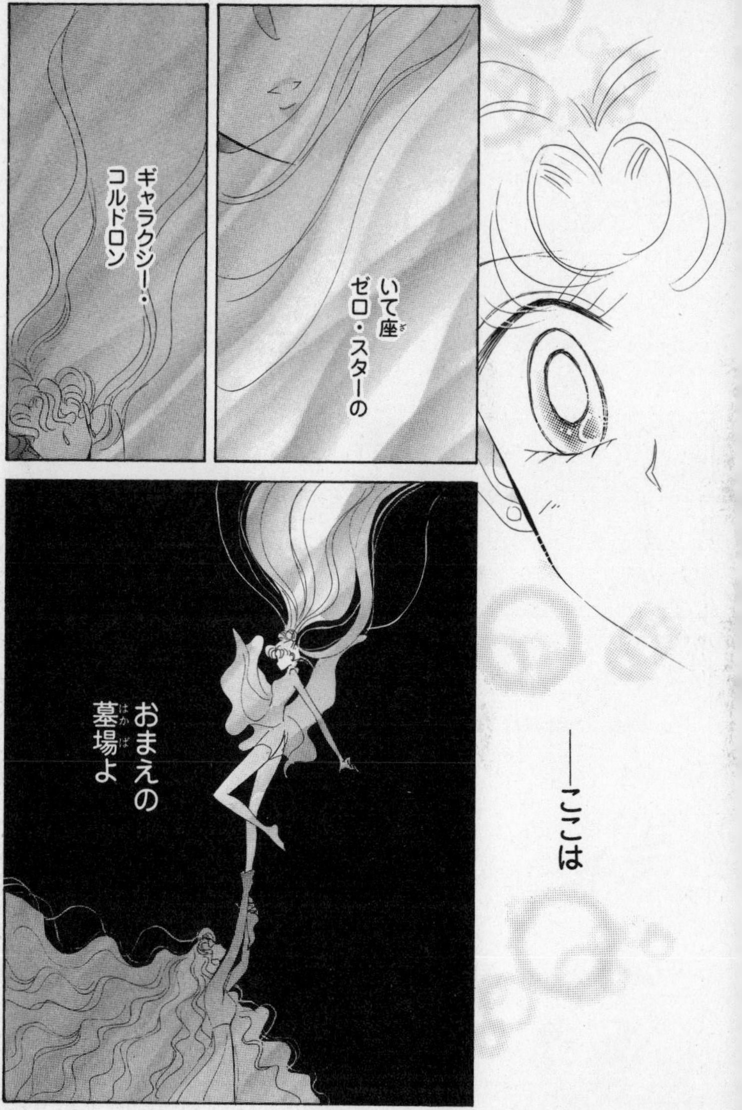
――ここは
いて座《ざ》
ゼロ・スターの
ギャラクシー・
コルドロン
おまえの
墓場《はかば》よ

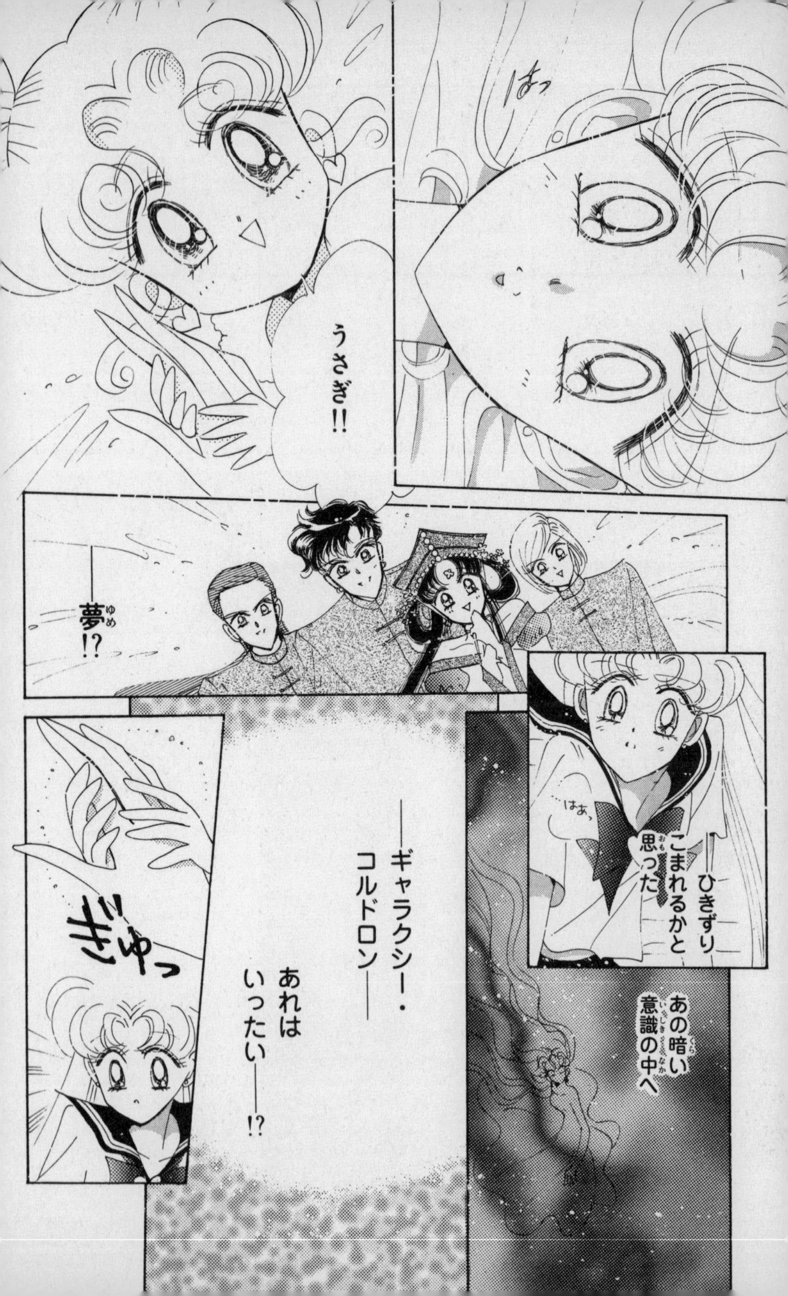
はっ
うさぎ!!
──夢《ゆめ》!?
…はあっ
──ひきずりこまれるかと思《おも》った
あの暗《くら》い意識《いしき》の中《なか》へ
──ギャラクシー・コルドロン──
あれはいったい──!?
ぎゅっ

ちびちび……
おまえが助《たす》けてくれたのね
あたしの手《て》をひっぱるちびちびの手《て》の力《ちから》を
——ずっと感《かん》じてた
ありがとう——ちびちび
フシギねおまえをこんなに信《しん》じることができるなんて——
おまえがセーラー戦士《せんし》だからかしら?
仲間《なかま》だから?
おまえはたよりないあたしに未来《みらい》からみんながおくりこんでくれた天使《てんし》かもね
いつも仲間《なかま》が見守《みまも》ってくれている
……そう
……目《め》ざめると
ドキン
無事《ぶじ》でよかった

どんなときも 仲間《なかま》が 命《いのち》をかけて あたしを 守《まも》ってくれる
たとえ それが
あたしが シルバームーン・クリスタルを もつ 戦士《せんし》だから だとしても――
セーラームーン……
…すべてを ひっくるめて ぜんぶ「あたし」なの
だから あたしも 仲間《なかま》のすべてを ――この命《いのち》を かけて とりもどしたいの
……星野《セイヤ》くん 夜天《ヤテン》くん 大気《タイキ》くん
あたしたちは セーラークリスタルにだけ 価値《かち》があるわけじゃない
このカラダも「あたしたち」よ
あたしたちは カラダごと あたしたちよ

ささえあったり
手《て》をつなぎあったり
見《み》つめて 声《こえ》をかけて
だきしめあって
——その瞬間《しゅんかん》
はじめて
あたしたちの
力《パワー》は この体《からだ》で
増幅《ぞうふく》されて
みんなに伝《つた》わるの
強《つよ》い力《パワー》がだせるの
それが
セーラー戦士《せんし》なの
ほんとうに
仲間《なかま》の肉体《にくたい》は
もとどおりに
なるの？
…ドクン
——ほんとうに
あなたの知《し》る
「未来《みらい》」は
やってくるの？
…ぎゅう…
…ドクン
——やって
くるわ

あたしは 信《しん》じてる!
みんなは 死《し》んでなんか いない!!
かならず あたしたちの 「未来《みらい》」は やってくるわ!!
あたしの もてる力《ちから》の すべてを使《つか》って
みんなを 助《たす》け出《だ》すの!!
平和《へいわ》を とりもどしてみせる!
すべて もとどおりに してみせる…
ククッ
かならず───!
セーラー ギャラクシア───
何者《なにもの》なの!?
なぜ こんな戦《たたか》いを はじめたの!?

いかなければ
一刻《いっこく》も はやく ギャラクシアの もとへ——!!
ピピッ
チュン
チュン
おはよう ママ
うさぎ!? どうしたの? こんな はやおきして!☆
ねえ ママ
ルナのほかに また ネコ 飼《か》ってもいい?
まあ☆
そのおねだりで はやおきしたの?
エヘヘッ
しょうがないわね ちゃんと 世話《せわ》 できるかしら☆
ルナちゃんの お友《とも》だち なの?

だんなとコドモなの
ミャー
ミャー
額《ひたい》の三日月《みかづき》の損傷《そんしょう》が思《おも》ったよりも深《ふか》いわ
三日月《みかづき》にうけたキズがなかなか治《なお》らない
そのせいで ずっとしゃべれないままだけど
—家《いえ》になら安心《あんしん》して残《のこ》していける
ミャー
ミャー
ミャー。
グレイはねダイアナルナのコドモ
白《しろ》いネコちゃんがアルテミスルナのだんなよ
ミャー
ミャー
アルテミスは美奈P《みなピー》のネコなんだけど
……ちょっと事情《じじょう》があってすこしの間《あいだ》だけ
いいわよ

よかった
ママ
いっぱいごはんあげといてね
いってきまあーす!
ママ?
……へんね
ポタッ

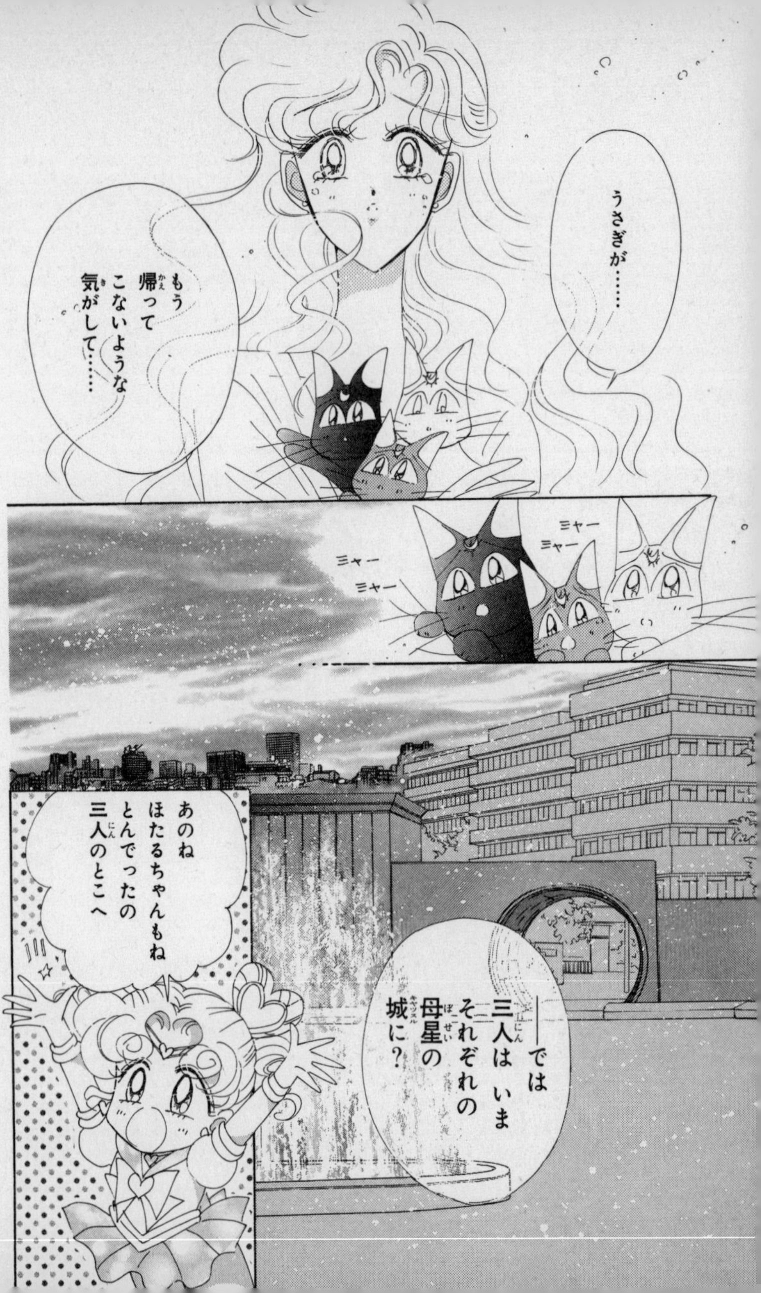

うさぎが……
もう帰《かえ》ってこないような気《き》がして……
ミャー
ミャー
ミャー
ミャー
——では三人《にん》は いまそれぞれの母星《ぼせい》の城《キャッスル》に？
あのね ほたるちゃんもね とんでったの 三人《にん》のとこへ

おっ ちびコロ フツーに しゃべってやんの
ちびコロじゃ ないもん ちびちびだもんっ☆
彼女《かのじょ》たちの 城《キャッスル》には 何度《なんど》も？
いいえ…… みんなの 母星《ぼせい》には いったことは ないわ
みんなは いつも この星《ほし》で
この星《ほし》と あたしを 守《まも》っていて くれたから
——あたしは みんなに守《まも》られて ただ この星《ほし》を 守《まも》っていれば よかったから
…外部太陽系《がいぶたいようけい》まで どれくらいで たどりつけるかな
——四人《にん》からは なんの連絡《れんらく》もない
ザァァー
なにか あったんだと 思《おも》う
ザァァー
四人《にん》に
はやく会《あ》いたい
天王星《てんのうせい》 海王星《かいおうせい》 冥王星《めいおうせい》 までなら すぐよ

ナビなら
わたしに
まかせて
手《て》を
だいじょうぶ！
足《あし》手《で》まといに
ならない
ように
がんばって
ついてくわ！
ぶ
――いいんだ
きみは
プリンセス
だから
守《まも》られて
いいんだよ

プリンセスは
守《まも》られて……強《つよ》くなってゆくものだから
いきましょう

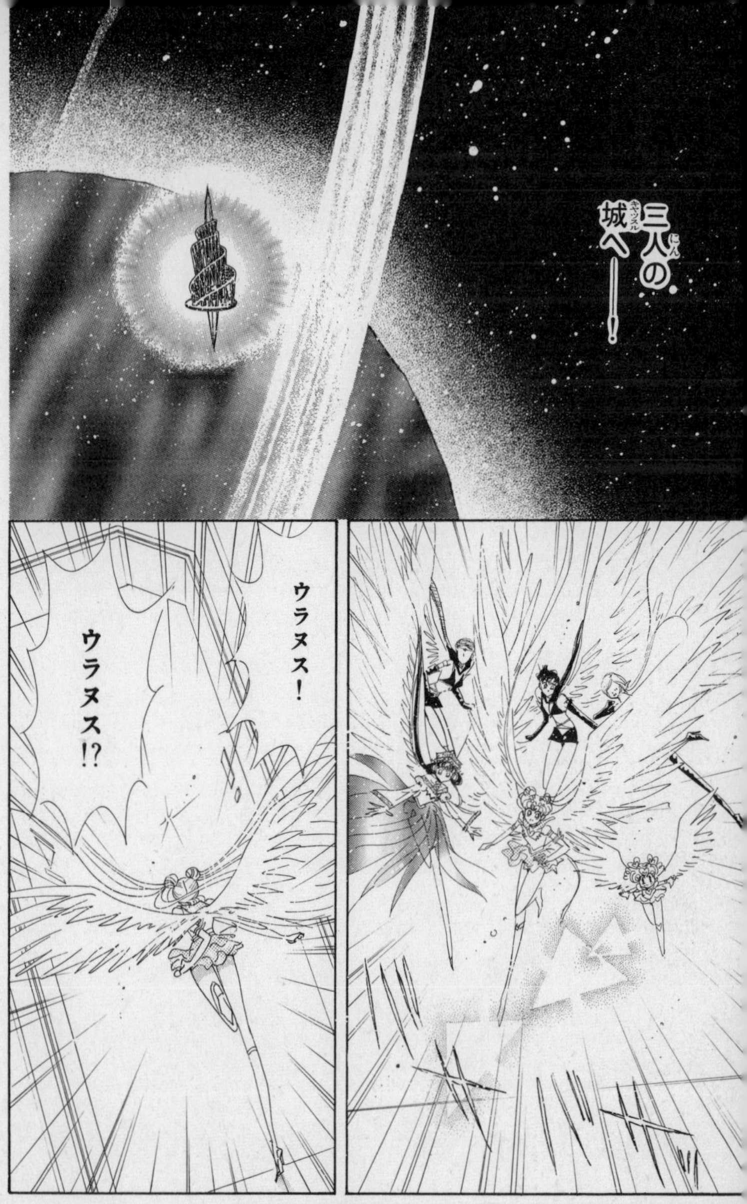
三人《にん》の城《キャッスル》へ――!
ウラヌス!
ウラヌス!?

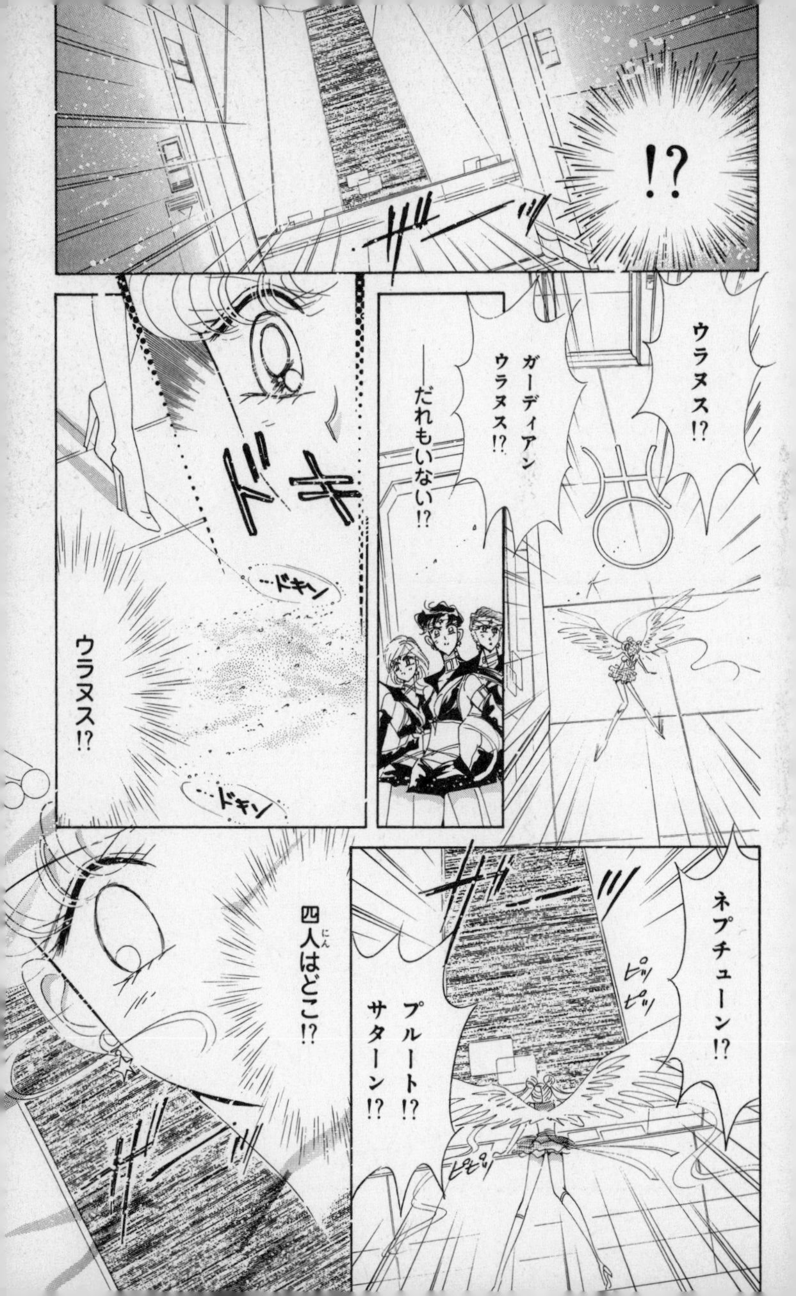
!?
ザーッ
ウラヌス!?
ガーディアン ウラヌス!?
─だれもいない!?
ドキ
…ドキン
ウラヌス!?
…ドキン
ネプチューン!?
ピッピッ
プルート!? サターン!?
ピピッ
ザーッ
四人《にん》はどこ!?
ザーッ

海王星《かいおうせい》へ いって みましょう
ネプチューーン!!
ガーディアン ネプチューーン!?
はっ
ザザーーッ
ドクン
ザザーッ
ドクン
──こわれた 通信《つうしん》システム
だれもいない ──ウラヌスの城《キャッスル》と まったく同《おな》じ

――まさか……まさか四人《にん》は……
プルート!! ガーディアン プルート! サターン!?
!?

プルート!?
サターン!?

いやああっ
セーラームーン!!
残像《ざんぞう》システムだ!!
ビジュアルレコーダーが記録《きろく》を!
ピッ
ピッ
ピッ
ここにもギャラクシアが……!!
ギャラクシアが
ウラヌスとネプチューンを
プルートとサターンを
…サラッ

……あたしのクリスタルが目的《もくてき》なら
なぜ あたしの仲間《なかま》たちを……!
——ゆるさない
——つれていって! プリンセス火球《かきゅう》!
いて座《ざ》 ゼロ・スターへ!
セーラームーン!? いて座《ざ》 ゼロ・スターのことを!?
教《おし》えて くれたわ ギャラクシアが

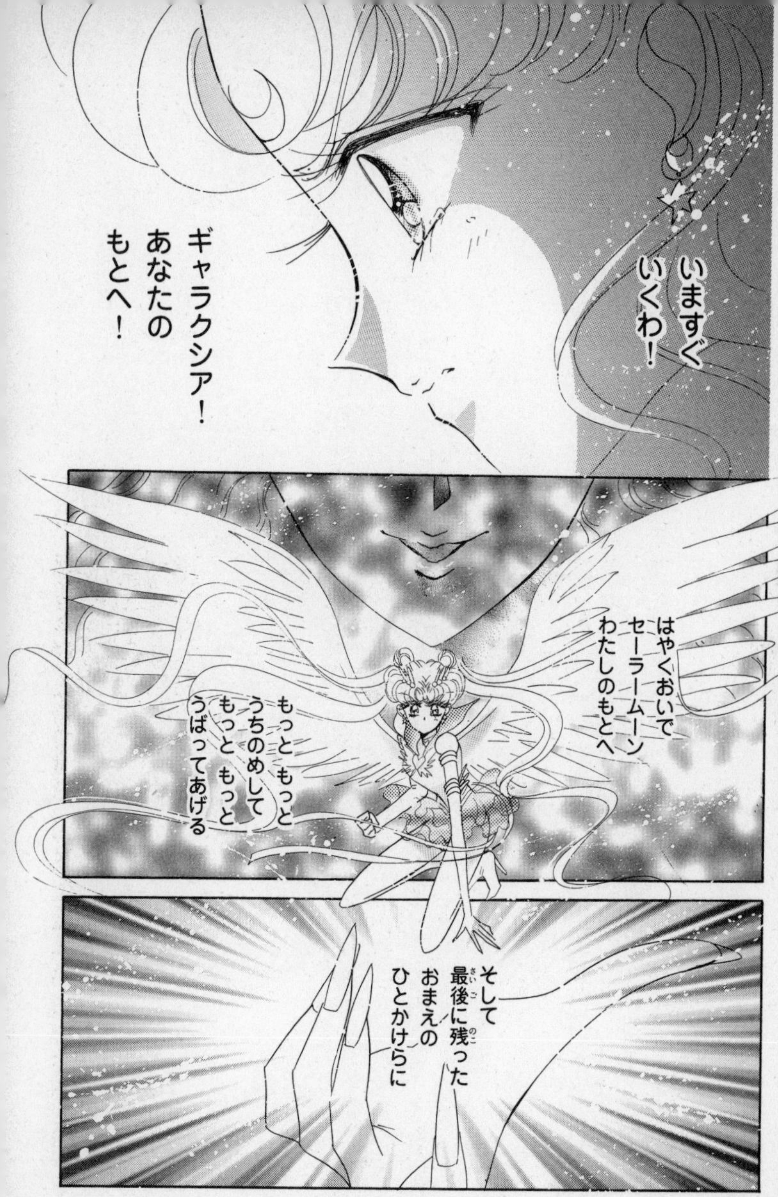

いますぐ
いくわ!
ギャラクシア!
あなたの
もとへ!
はやくおいで
セーラームーン
わたしのもとへ
もっと もっと
うちのめして
もっと もっと
うばってあげる
そして
最後《さいご》に残《のこ》った
おまえの
ひとかけらに

わたしが真実《しんじつ》を
教《おし》えてあげる――!!

「――大《おお》きな光《ひかり》が　近《ちか》づいてくる」
「――たたかいが　はじまる
――こわいわ　レテ」
「――だいじょうぶよ　ムネモシュネ
あなたは　わたしが
守《まも》ってあげる」
「2人《ふたり》の　平和《へいわ》で幸《しあわ》せな
未来《みらい》のために
――ここから先《さき》へは
一歩《いっぽ》も　進《すす》ませないわ――」

美《び》少《しょう》女《じょ》戦《せん》士《し》
セーラームーン
Act《アクト》 48《フォーティエイト》 スターズ 6《シックス》

——あの ひときわ 星《ほし》の密集《みっしゅう》 しているところが 銀河《ぎんが》の中心《ちゅうしん》
いて座《ざ》A《アルファ》・スター

そして さらに いて座《ざ》A《アルファ》・スターの 中《ちゅう》心《しん》部《ぶ》が
いて座《ざ》 ゼロ・スター

——星《ほし》の生《う》まれるところよ
——星《ほし》の生《う》まれるところ？
銀河《ぎんが》のすべての星の種《スターシード》はあのいて座《ざ》ゼロ・スターから生《う》まれるのよ
星の種《スターシード》の生《う》まれるところ……
銀河《ぎんが》にちらばる星々《ほしぼし》のすべてが
——地球《ちきゅう》もあたしたちも
あそこから生《う》まれたの？

シャドウ・ギャラクティカがあそこにあるということは
ギャラクシアは銀河《ぎんが》の星《ほし》の盛衰《せいすい》のシステムを支配《しはい》するつもりで――？
おそらくね
さあ
一気《いっき》にゼロ・スターまで飛《と》ぶわ
無事《ぶじ》に着陸《ちゃくりく》できるかどうか保証《ほしょう》はないけれど
覚悟《かくご》はできてますよプリンセス
なんたって未知《みち》の領域《りょういき》
――おまけに敵地《てきち》のドまん中《なか》だもんね

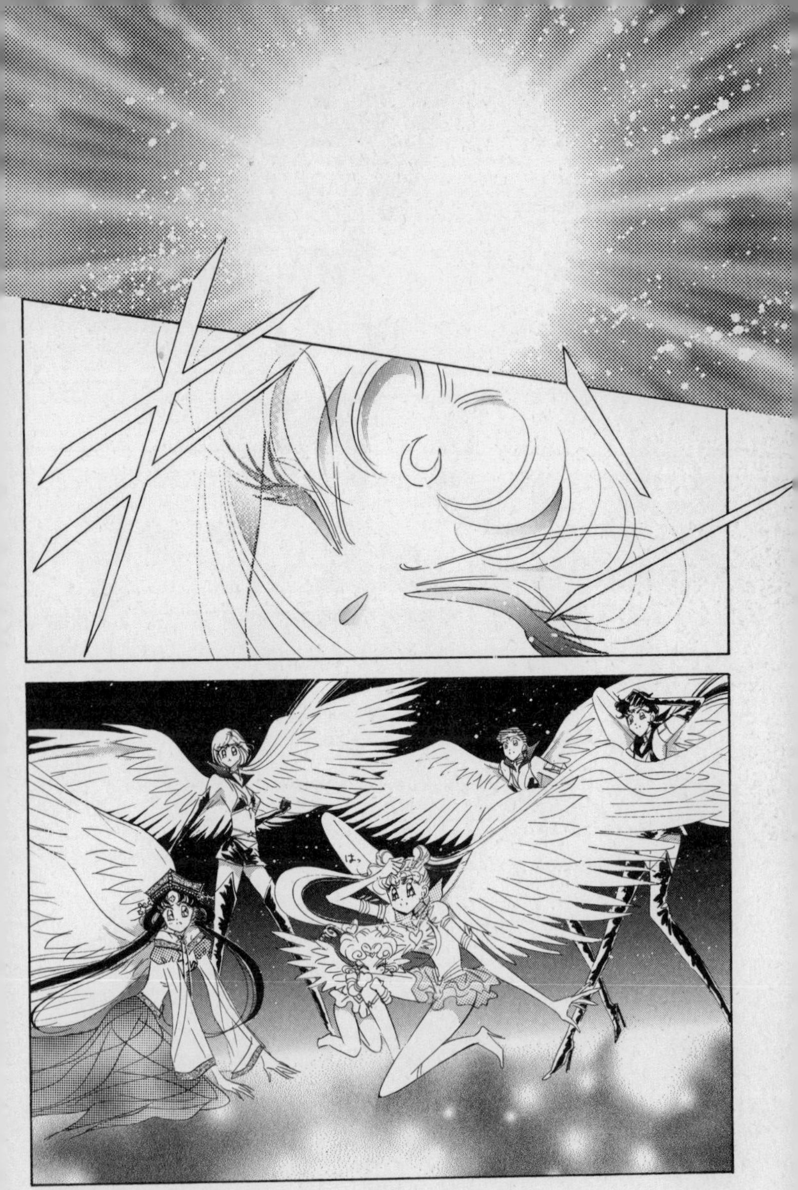
はっ

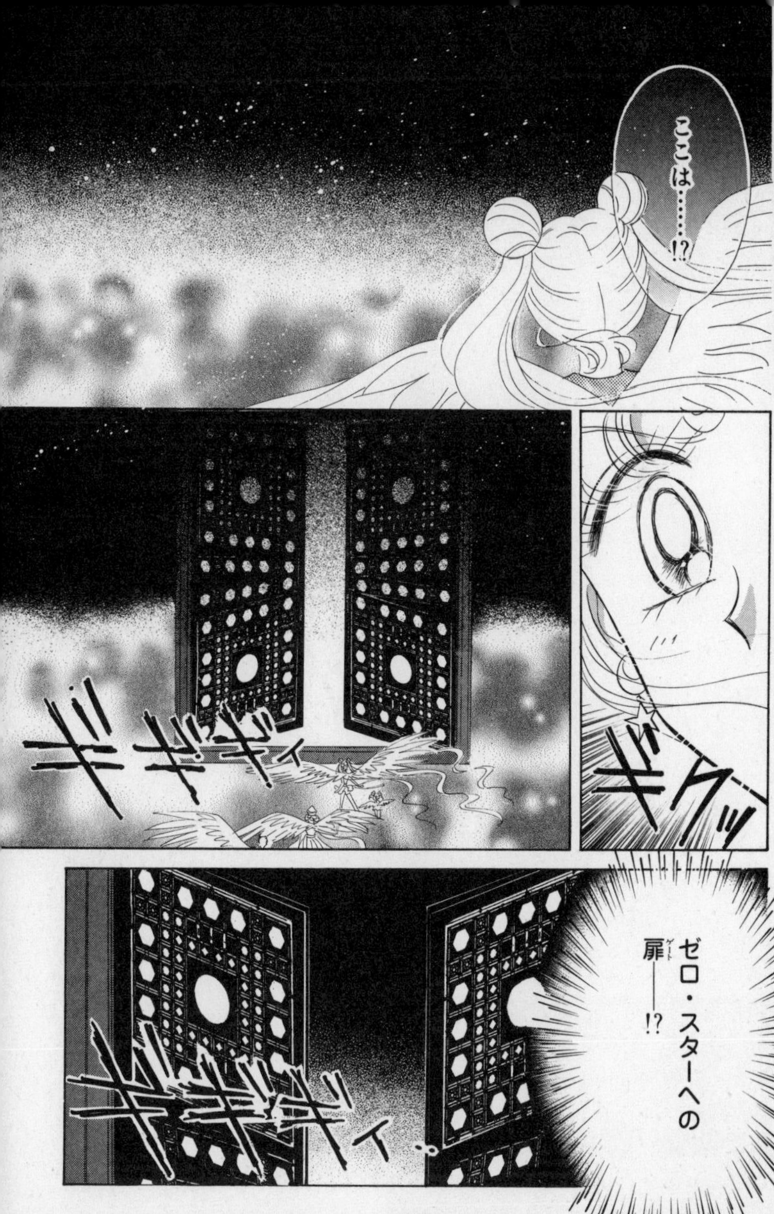
ここは……!?
ギクッ
ギギギィ
ゼロ・スターへの扉《ゲート》──!?
ギギギギィ…

ザア……
ゴホッ ゴホッ
ケホケホッ
——なんだか
のどが
カラカラ……
はっ

わたしは
レテ
この砂漠川《さばくがわ》の
渡《わた》し守《もり》
おのりなさい
異邦人《いほうじん》たち
キイ
キイ
ザザッ
ザアッ

!?
砂《さ》漠《ばく》が
水《みず》に!?
!!
プリンセス!!
ちびちび
スターライツ!!

はっ
キィ
……ここは……
キィ
キィ
……あたし…?
キィ
……いつのまに
……ここへ…?

あなたの ネコなの？
ニャーッ
ニャー
ニャー
……あたしの
……ネコ？
ニャー ニャー
ニャー
ネコを飼《か》って かわいがると 死《し》んだとき さびしいわ
ひとりのほうが ずっといい そう 思《おも》わない？
ひとりのほうが……？
……いいえ ……ひとりは さみしいわ
さみしがりや なのね
――だから あたし 友《とも》だちを いっぱい つくったような 気《き》がする……
キィ
それで？ どんな 友《とも》だちを？

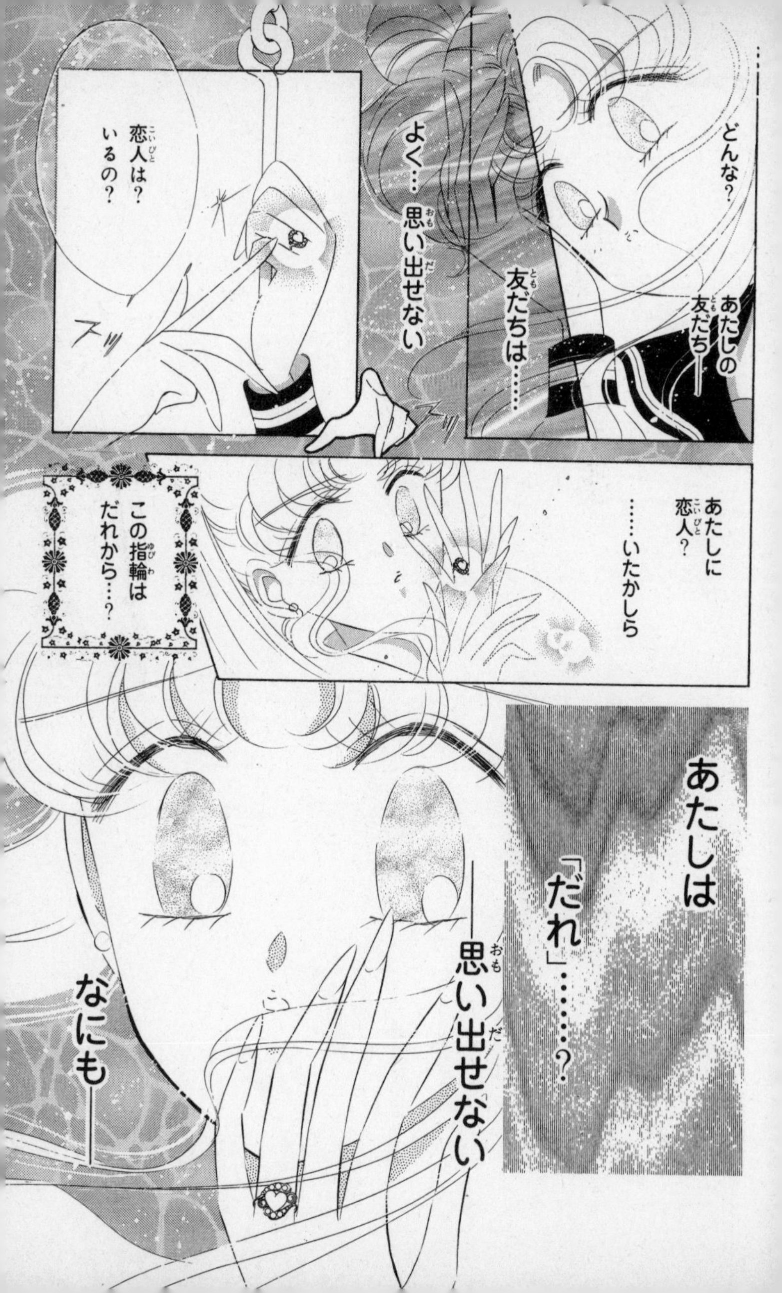
……
どんな？
あたしの友《とも》だち──
友《とも》だちは……
よく…思《おも》い出《だ》せない
恋人《こいびと》は？いるの？
スッ
あたしに恋人《こいびと》？
……いたかしら
この指輪《ゆびわ》はだれから…？
あたしは「だれ」……？
思《おも》い出《だ》せない
なにも──

ククッ
人《ひと》としての記憶《きおく》にたいした価値《かち》などない
この肉体《カラダ》だってただの 入《い》れもの
わたしたちに価値《かち》があるのは
スッ
力《パワー》だけよ!!
!?

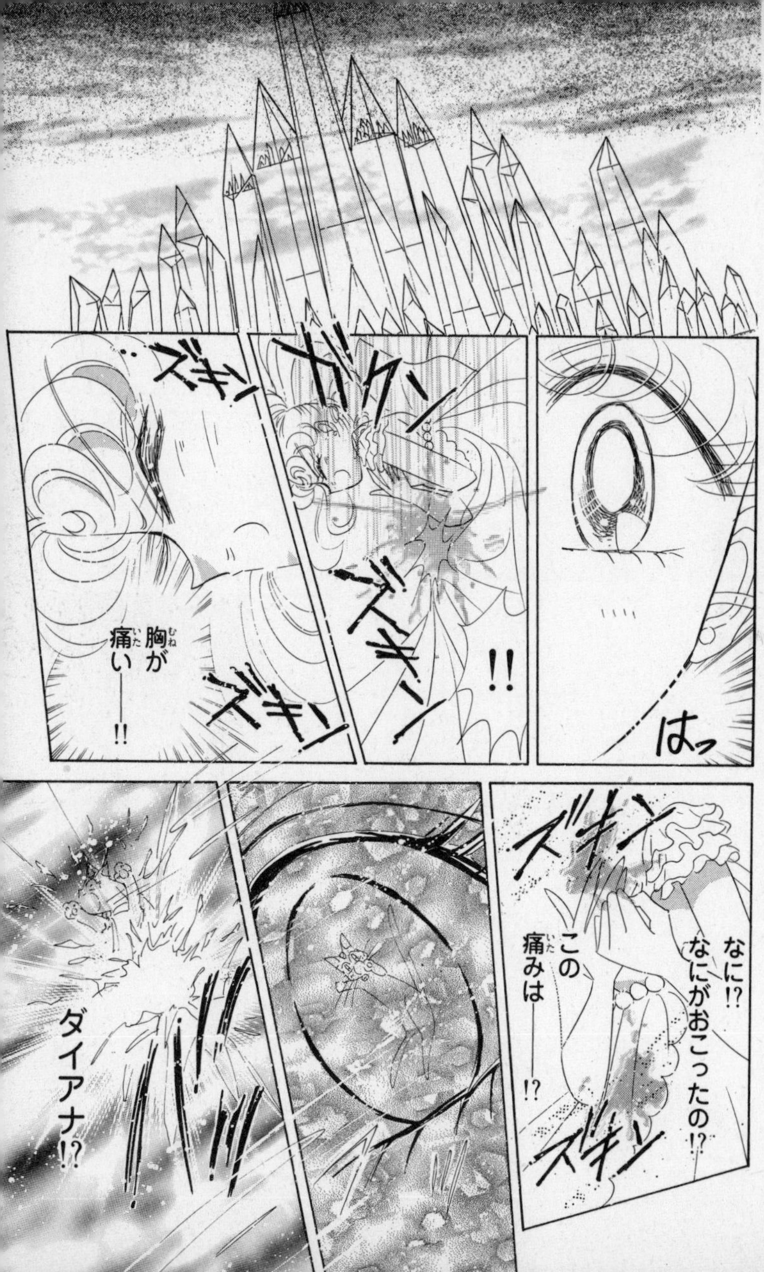
はっ
ガクン
ズキン
!!
…ズキン
胸《むね》が痛《いた》い——!!
ズキン
ズキン
なに!? なにがおこったの!?
この痛《いた》みは——!?
ズキン
ダイアナ!?

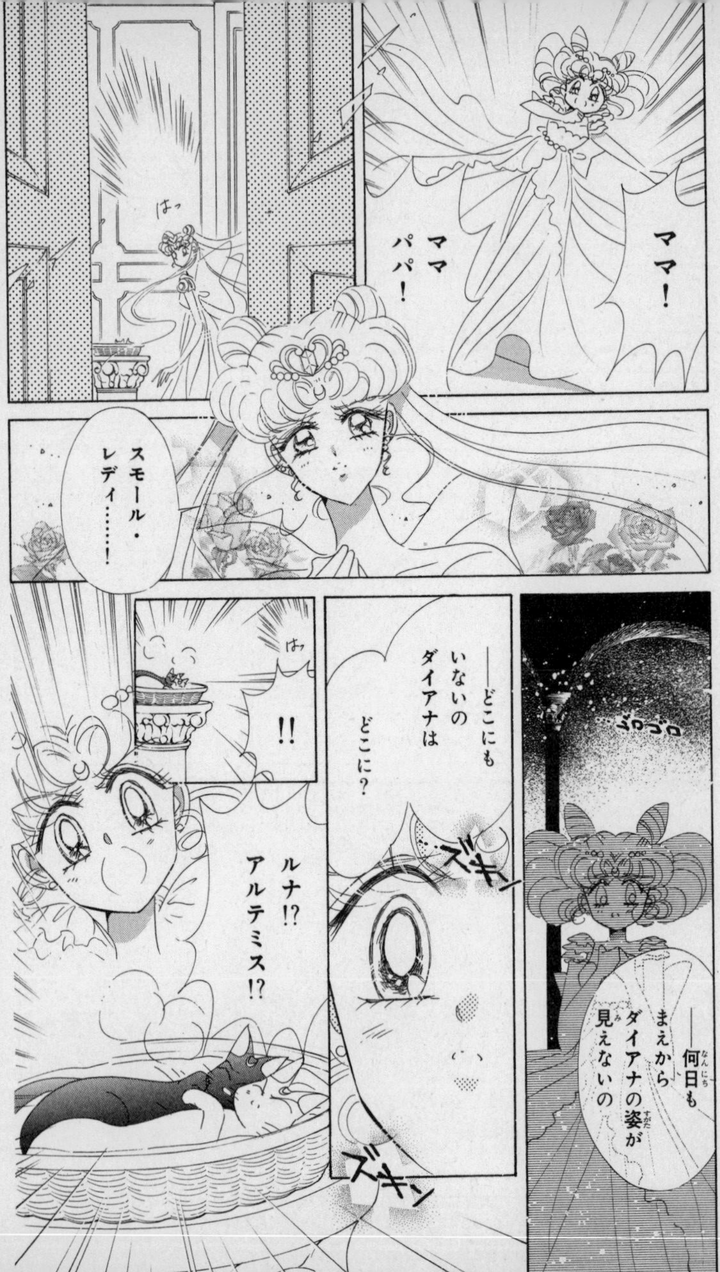
ママ！
ママ
パパ！
はっ
スモール・
レディ……！
ゴロゴロ
——何日《なんにち》も
まえから
ダイアナの姿《すがた》が
見《み》えないの
——どこにも
いないの
ダイアナは
どこに？
ズキン
ズキン
はっ
!!
ルナ!?
アルテミス!?

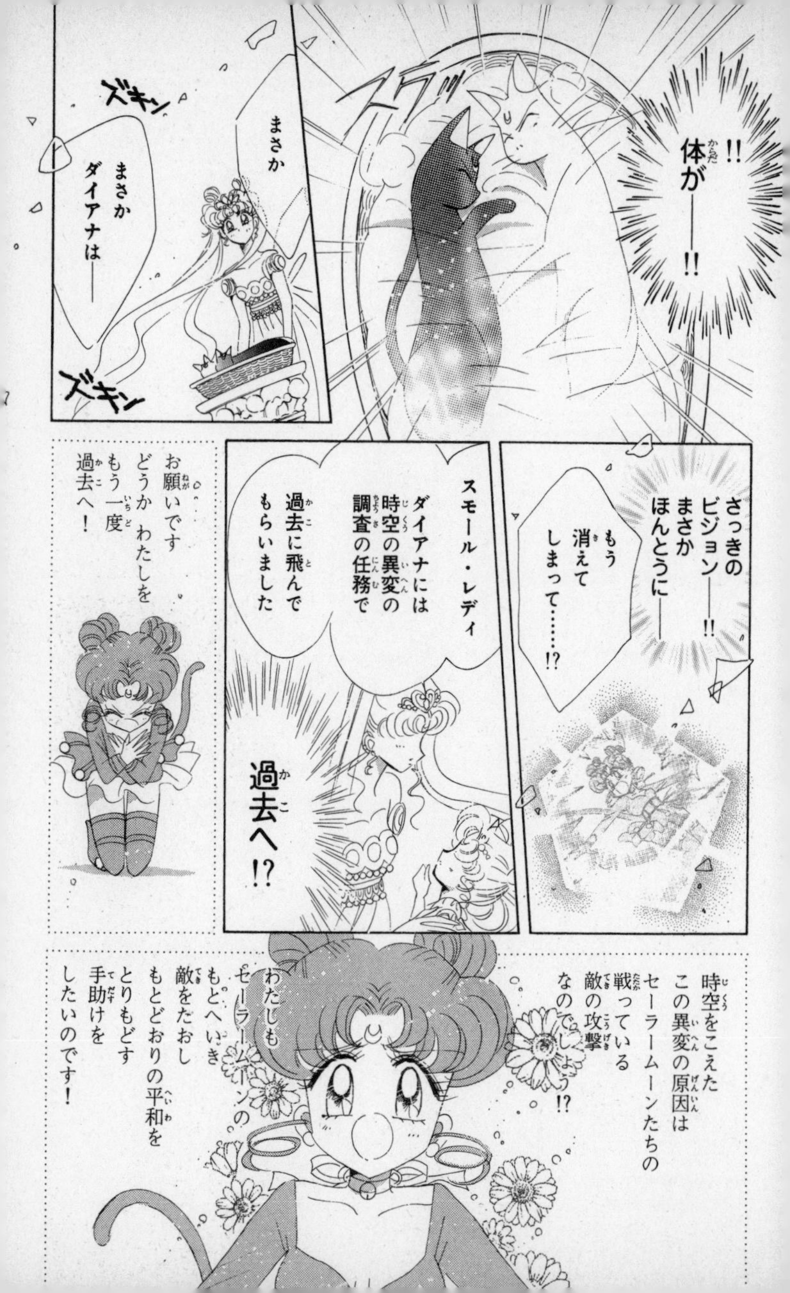
体《からだ》が——!! !!
まさか
まさか ダイアナは——
ズキン
ズキン
さっきのビジョン——!! まさか ほんとうに——
もう 消《き》えて しまって……!?
スモール・レディ ダイアナには 時空《じくう》の異変《いへん》の 調査《ちょうさ》の任務《にんむ》で 過去《かこ》に飛《と》んで もらいました
過去《かこ》へ!?
お願《ねが》いです どうか わたしを もう一度《いちど》 過去《かこ》へ!
時空《じくう》をこえた この異変《いへん》の原因《げんいん》は セーラームーンたちの 戦《たたか》っている 敵《てき》の攻撃《こうげき》 なのでしょう!?
わたしも セーラームーンの もとへいき 敵《てき》をたおし もとどおりの平和《へいわ》を とりもどす 手助《てだす》けを したいのです!

——ダイアナの
身《み》に なにか
あったんだわ
ズキン
ズキン
わかるの
感《かん》じるの
いったい
なにが
おこってるの？
おしえて！
ママ！
パアア
——みんな!?
みんなの
クリスタルが
光《ひか》って!?
——!?

パパ!?
ズクッ
プルート!!
ドクン
ドクン
みんなのクリスタルがあんなに輝《かがや》いて……
みんなの体《からだ》が消《き》えかかってる――!
まさか
――過去《かこ》の異変《いへん》って
過去《かこ》でみんなの命《いのち》が――!?
――ママ
あたしいくわ
過去《かこ》へ!!
スモール・レディ!
なにをいうの!?
危険《きけん》なのよ!!

ママ
ママが この三十世紀《せいき》を 守《まも》らなければ いけないように
いまのあたしには セーラームーンを 助《たす》けて戦《たたか》うという 使命《しめい》が あるの
あたしの体《からだ》が いかなきゃって 叫《さけ》んでる みんなが 呼《よ》んでるの
——そう この胸《むね》の痛《いた》みは 時空《じくう》のかなたの みんなの痛《いた》みなの!!
ピンク・ムーン・クリスタル・パワー
メイク・アップ!!

パァァァァ
おまえたち……!
はっ
パァァァ
フワッ

セーラーセレス！
セーラーパラス！
セーラージュノー
セーラーベスタ
セーラーカルテット——参上《さんじょう》！
いってくるわ ママ
三十世紀《せいき》をどうか守《まも》って
——ゆきなさい 時空《じくう》をこえて 銀河《ぎんが》のかなたへ
銀河《ぎんが》のかなた!?
いって しっかり 見《み》とどけて きて

銀河《ぎんが》のかなたで
なにが
おこっているか――
キィ
キィ
サラ サラ
……どうして
こんな
かんたんに
殺《ころ》したり…
できるの？
…ぎゅう
みんな
生《い》きるために生《う》まれてきたのに
命《いのち》あるものは
死《し》ぬために生《う》まれてくるのよ

ギャラクティカ！
ミュソーティス・
アルペーストニス!!
ギャああっ
ズサッ
——!!
……どうして!?
あたしを
殺《ころ》そうと
するの……？
‥はあっ
ぎゅっ

おまえが
ここへ
すべてを
失《うしな》いに
きたからよ
名《な》まえも
命《いのち》も
すべてを
失《うしな》いに——……
……いいえ
ちがう
あたしには
失《うしな》いたくない
たいせつな友《とも》だちが
たくさんいたわ
あたしの
名《な》まえも 命《いのち》も
その友《とも》だちの
仲間《なかま》の
ためにあった
……——そうだ
あたしは
失《うしな》うためにじゃなく
仲間《なかま》をとりもどすために
ここへ——……
ゴボ
この忘却《ぼうきゃく》の
川《かわ》の底《そこ》では
だれも
わたしに勝《か》つことは
できない
ククッ
ゴボ
さようなら
セーラームーン

!?
やめて レテ!
ムネモシュネ!!
セーラームーンは もう こんなに 傷《きず》ついてるわ
最後《さいご》の 審判《しんぱん》は ギャラクシア さまに おまかせして
……セーラームーン?
セーラームーン……
その 名《な》まえは……
そうだ

あたしは
セーラームーン!!
すべてをとりもどすために
ここまできたの!!
ガボッ
!?
ゴボ
ゴボ
みんな!?
パイッ
ゴボゴボッ
ちびちび!!

このレテの忘却《ぼうきゃく》の川《かわ》で記憶《きおく》をとりもどすなんて!!
おのれ! レテ!!
お願《ねが》い もうやめて!!
ケホ ケホッ
ゴホッゴホッ

ゴホッ ゴホッ
ちびちび だいじょうぶ!?
ぶ!
ピエッ
ピエッ
ぷる ぷるっ
うらぎるの? ムネモシュネ
あたしは ただ
これ以上《いじょう》 あなたに あたしと同《おな》じ セーラー戦士《せんし》を 傷《きず》つけてほしく ないだけよ
はっ
プリンセス!?
フラッ
……
プリンセス 火球《かきゅう》!?
わたしの 記憶《きおく》の川《かわ》の 水《みず》を
ゴクッ
ムネモシュネ!

ゲホ ゲホッ
セーラームーン!? ここは——!
プリンセス!
——あたしは 殺《ころ》し合《あ》いを しにきたんじゃない
仲間《なかま》の セーラー クリスタルを とりもどしに きたのよ
みんなの クリスタルは どこに——!?
セーラー クリスタルは ここには ない
ここは 帝国《ていこく》 シャドウ・ギャラクティカの ギャラクシア・パレスを 二重《にじゅう》に守《まも》る広大《こうだい》な外堀《そとぼり》 「砂漠川《さばくがわ》」
わたしは 忘却《ぼうきゃく》の川《かわ》の番人《ばんにん》 レテ星《スター》の セーラー レテ
——わたしは 記憶《きおく》の川《かわ》の番人《ばんにん》 ムネモシュネ星《スター》の セーラー ムネモシュネ

おまえを ここから先《さき》へは いかせないわ セーラームーン
生《い》きた ままではね
レテ!
見《み》たく ないなら 目《め》を つぶりなさい ムネモシュネ!
忘《わす》れたの!?
二人《ふたり》の 平和《へいわ》と幸《しあわ》せを 手《て》にするために ギャラクシアに ついていくと きめた誓《ちか》いを!
わたしたちの 星《ほし》は 小《ちい》さく まずしく
いつも 争《あらそ》いが つづき 混沌《こんとん》と していた
ギャラクシアが 現《あらわ》れ
わたしたちの 星《ほし》に
死《し》と 静寂《せいじゃく》が おとずれたときも
わたしたちは ついてゆくしかなかった

――けれど この戦《たたか》いに 勝《か》ちのこり ギャラクシアが 銀河《ぎんが》を 統一《とういつ》すれば
二人《ふたり》の 新《あたら》しい未来《みらい》が きっと――
今度《こんど》こそ 平和《へいわ》と幸《しあわ》せが やってくるわ ムネモシュネ
破壊《はかい》の戦士《せんし》のもとに 平和《へいわ》と幸《しあわ》せが あるわけないわ！ 知《し》っている でしょう!?
ギャラクシアが どれだけ多《おお》くの人《ひと》を 殺《ころ》してきたか！ この先《さき》も 彼女《かのじょ》のもとには 破壊《はかい》と殺戮《さつりく》が あるだけよ!!
では セーラームーン おまえのもとに 平和《へいわ》で幸《しあわ》せな 未来《みらい》はあるの？
戦《たたか》いのない 未来《みらい》が あるの？

セーラームーン
おまえのもつ力《パワー》は
戦《たたか》いを呼《よ》びよせる！
おまえが存在《そんざい》する
かぎり
戦《たたか》いはおわらない
わたしたちにとっては
おまえこそが「敵《てき》」！
きっと
どちらが勝《か》っても
未来《みらい》は同《おな》じ
わたしは
いま
この戦《たたか》いを
おわらせて
ムネモシュネと
二人《ふたり》だけの
平和《へいわ》と幸《しあわ》せさえ
手《て》にはいればいい
それだけよ
……もしも
それで
この戦《たたか》いが
おわるのなら

あたしを殺《ころ》して
あたしも戦《たたか》いをおわらせるためにここへ　きたの
——そう
いま　この戦《たたか》いをおわらせるために——

いつだって 戦《たたか》いを おわらせるために 戦《たたか》う
それが セーラー戦士《せんし》の使命《しめい》
——それが セーラー戦士《せんし》の願い《セーラー・マインド》
願《ねが》いは いつも みんな 同《おな》じなの
たとえ どんな 未来《みらい》が まって いようとも
——どうぞ いってください セーラームーン
セーラー ムネモシュネ

わたしたちが
たおさなくても
おまえが
死《し》んでも
死《し》なくても
戦《たたか》いは
おわらないわ
セーラー・
レテ……！
おろかで
役立《やくた》たずな
やつらめ
!!

レテ!!
ムネモシュネ!!
レテ…
ムネモシュネ…

レテ…!!
ムネモシュネ!!

（掲載《けいさい》＝「なかよし」1996年《ねん》9月号《がつごう》～11月号《がつごう》）

しまった!! 三人《にん》の
セーラー
クリスタルが!?
第18巻につづく

ちびうさ絵《え》日記《につき》
ヒミツの
ハンマープライス堂《どう》の巻《まき》
美《び》少《しょう》女《じょ》戦《せん》士《し》
セーラームーン

さて、どこまでがフィクションかわからないこのまんが。
(そのせつは○ャネルのタキタさま、○ッチの沼野《ぬまの》さま、
ありがとーっ? ごめんなさーい。)
ハンマ、つらら店長《てんちょー》の着《き》てたブラウスはファンの方《かた》に
ホントにいただいたもの。(細田《ほそだ》さま、ありがとう♡)こってるぞっ。
V《ブイ》ちゃんのマネキンはさすがになかったが、アタマがマーキュリー、カラダがジュピターとゆー超《ちょー》ヘンな(ニセモノの)お人形《にんぎょう》
を見《み》つけたコトもあったっけ。(首《くび》だけ回転《かいてん》するマーズ人形《にんぎょう》
とか。しまたにサマ、ヘンなホンコンみやげありがとう♡)。いやー
ゴールドとコーポレートカードでセーラームーングッズをかいまくったコトもあったわー。それから昔《むかし》、芝公園《しばこうえん》に
住《す》んでた頃《ころ》、近《ちか》くで地上《じあ》げでトラックにつっこまれた
おべんとやさんがあったの。コワイわ港区《みなとく》ッ☆
おクラのネタは、ナオコがグッズを死《し》ぬほどしまってる
キョーイの(深遠《しんえん》なの…)トランクルームから。
そしてブランドネタは、マネージャーおゆりかさまが街《まち》で
もらってきたこのティッシュ(笑)→

もー○ャネルのロゴまんま!こーゆー
トンデモレアものによわーいナオコ。

さいごに♡山程《やまほど》のコギャル語《ご》を
おしえてくれた現役《げんえき》コギャルみづきあーんど
まるやま♡かよ嬢《じょう》♡ありがとーん♡
そして「コギャルはやっぱし肌《ハダ》が黒《くろ》くないと」
と自《みずか》らトーンをはってくれたやる気《き》200%《パーセント》っ
元《もと》コギャル、おほろっち♡ありがとーん♡
しかし日本人《にほんじん》にしかわからないネタばかりの
このまんがも、各国語《かっこくご》に訳《やく》されて…
世界中《せかいじゅう》へまわってゆくのかしら…
…わかってもらえるのかしら このまんが…
しくしく

やっと!コミックスにのせるコトができました♡
ちびうさ絵日記《えにっき》「ヒミツのハンマープライス堂《どう》」♡
これは'95.夏《ナツ》、フジテレビの『ハンマープライス』という
阪神大震災《はんしんだいしんさい》のチャリティーオークションばんぐみで
"「なかよし」のセーラームーンに登場権《とうじょうけん》"を、なーんと
200万《まん》えん!で!せりおとしてくださった!
松浦亮《まつうらまこと》クンのためにかきおろしたまんがです。

テレビの収録《しゅうろく》にはゲンコー上《あ》げててつやで
いったの…も、ヘロヘロだったわー。下着《したぎ》だったし(マジよっ)
(でもとんねるずサマと色紙《しきし》をコーカンして写真《しゃしん》とってもらっちゃった♡)
松浦《まつうら》クンはね、まんがのよーにぽよんとしてて(ごめんねー)
まんがのよーにふとっぱら!すってきなセレニティの自作《じさく》の
お人形《にんぎょう》や、ポルシェの模型《もけい》やさしいれをいーっぱい
くださったの♡こんなにセーラームーンを愛《あい》してくれて
ホントにありがとー。♡このまんがを松浦《まつうら》クンと
阪神《はんしん》のファンのみんなにささげます。そしてそして
同《おな》じよーにセーラームーンを愛《あい》してくれるファンの
みなさまへささげます♡ みなさまいつも
たくさんのファンレター、プレゼント、お花《はな》、めくるめく
同人誌、力作《りきさく》ぞろいのコスプレの写真《しゃしん》、ホンモノ
以上《いじょう》に美《うつく》しくリアルなガレージキットのお人形《にんぎょう》、
などなど。ホントにありがとうっ!!!♡
もーぜんぶナオコのたからものっ!
セーラームーンちゃんたちはほんっとーに
こんなに愛《あい》されてしあわせものっ!!
ついでにナオコもホントーにしあわせものっ!!♡
みんな!!ホントーにあいしてるわっ♡♡♡

「でぶっちょ仮面《かめん》」のネーミングは、番組中《ばんぐみちゅう》、
とんねるずタカサマが考《かんが》えてくださいました—♡

ちっび うっさ ちゃ――んっ♡
あ♡ ほたるちゃーーん♡ いま いく――っ♡
あたし♡ 月野《つきの》うさぎ♡ 通称《つうしょう》ちびうさ
区立十番小《くりつじゅうばんしょう》 三年《ねん》一組《くみ》 園芸委員《えんげいいいん》よっ♡ でも 年《とし》は 九〇二歳《さい》
きょうは日曜日《にちようび》 これから ショッピングへ いくの♡
あら あたしたちも これから まもちゃんが ハーバードへ もっていくもの 買《か》いにいくのよ♡
とちゅーまで いっしょに いこっか―♡
ここで クラスの子《こ》と まちあわせ してるんだけど
キョロ キョロ

パリラリラ〜〜
ブオンオンオン
あ！
きた！
ゲゲッ☆
ハコ乗《の》リッ!?
まさか
レディース!?
ちっびうっさ
ちゃ〜〜んっっ♡
なるる
あ──んど
るるな
参上《さんじょう》──っっ♡
ブー
わ〜〜ん
まもちゃーんっっ
おくれて
ごめ──んっ♡
もしかして
チョ──
MM《マジムカツク》ッ!?
ぷるるん
がばっ

ちょっと とちゅうで ハゲッちゃって——
ハゲる!?
ハーゲンダッツのアイスを食《た》べることなんだって
こちら同《おな》じクラスの大阪《おおさか》なるるちゃんと
神戸《こうべ》るるなちゃん♡
なるるでー↓すっ♡
ぎゅ
ぎゅ
るるなでー↓すっ♡ ちびうさちゃんのチョーMD《マブダチ》よっ♡
そーいえば ハゲッたあとに——っ
つい ブランドッちゃってえー フクいっぱい買《か》っちゃってえ——
あたしたちって チョー DH《ダイヒンシュク》—↓ッ!?
二人《ふたり》のシュミはファッションショーなの♡ しかも超《ちょう》ブランド品《ひん》の
ふ→ん
GUCCICCI
CHANNEL

なるるちゃん るるなちゃん こちら 三組《くみ》のほたるちゃん♡
ちびうさちゃんの大親友《だいしんゆう》よっ！
ぎゅう
ふ←――ん
ふ――→ん
ぐいっ
ぐいぐいっっ
馬血《バチ》馬血《バチ》ッ
がくっ
がくっ
なっっ なぜっっっ
じゃあたしたちはこれでっっ……
コドモのテンションについてけないので……

で？
きょうはどこいくの？
くるっ
もちっ
いつもの質屋《しちや》よっ！
ハンマー㊮プライス堂
質屋《しちや》??
ハンマープライス堂《どう》
？
質屋《しちや》ってなに屋《や》さんなの!?
なんでも屋《や》さんよっ
いろ――んなものを売《う》ったり買《か》ったりしてくれるのっ♡
とくにブランド品《ひん》や超《ちょう》レアものがっ！

さあ
ゴレッツゴーッッ♡
ガラガラ
ふーん質屋《しちや》ってなんでもやさんかあっ
ちがうちがう
!?
おらおら
今度《こんど》くるときはきっちりおとしまえつけてやるぜっ
コロ
コロ
だっだいじょうぶですかっ!?
ニコッ
へーキへーキ
これくらいだいじょーぶなの♡
ガラガラ
フラ
フラ
いまのヒト
お店《みせ》の人《ひと》かな
だいじょうぶかな
なんかおもきしけられてたケドッ

わあぁ〜〜 質屋《しちや》さんって
ホントに いろんなもの 売《う》ってるのねぇ
きゃああ〜〜っっ♡
さがしてた チャンネルの うきわが ある〜〜っっっ
CHANNEL
グッチッチッの まな板《いた》が ある〜〜っっ♡ チョレア〜〜ッ♡
ああ〜〜 チャンネルの ティッシュも 売《う》ってる〜〜っ♡
きゃあ きゃあ
グッチッチッの ゲタだ〜〜っっ チョチョレア〜〜〜ッッ♡

チャンネル?
テレビ??
グッチッチ??
ぬいぐるみ?? それはモンチッチ
どうっ?? べんきょーになった??
チャンネルって ゆーのはねっ ガブリエル ナタデココが 一九〇九年《ねん》に パリでスタート させた フランスの 超人気《ちょうにんき》ブランドッ!
さいしょはぼーしやさんだったのよっ♡
グッチッチって ゆーのは 一九〇六年《ねん》グチ子《こ》グッチが フィレンツェではじめた 高級馬具商《こうきゅうばぐしょう》が はじまりのイタリアの 超人気《ちょうにんき》ブランドッ!
あたしたちは 小学生《しょうがくせい》 チャンネラーよっ
グッチャッ チャーよっ♡
チャネラー!?
まさかまさか ブラックムーンの コーゲキが…
グチャ グチャ??
「チャンネル」って ブランドの 大《だい》ファンの人《ひと》たちの ことを 「チャンネラー」 「グッチッチ」って ブランドの 大《だい》ファンの人《ひと》たちの ことを 「グッチャッチャー」 ってゆーのよ ほたるちゃん
ちなみに セーラーチームの ファンの 人たちのコトは 「セーラーチーマー」 かしらあっ♡

つまりアタシたちって――
きゃぴきゃぴっ
チョ――コギャルってヤツ――ッツ!?♡♡
ふ――ん
自分《じぶん》でいうか?
死語《しご》
ほたるちゃーんっっ
ん?
どろどろ〜〜
あのひときわクライ人《ひと》だかりは!
妖気《ようき》!まさか敵《てき》ッ!?
もぞもぞっ
わ〜なんだなんだ

わあぁっ♡
セーラーV《ブイ》の
等身大《とうしんだい》の
お人形《にんぎょう》さんっっ！
超《ちょう》レアモノ〜ッ
みなP《ピー》にみせた〜いっ
よく見るとヘンなフクきてるし〜っっ
ぷぷぷっ
わーー
ちびムーン
人形《にんぎょう》も
ある！
人形《にんぎょう》が
いっぱいだあっ♡
人形《にんぎょう》のコーナーなのねっっ
カワイ〜
きゃああ〜〜
見《み》て 見《み》てッ
エターナル
セーラームーンの
ワンピ
売《う》ってるーーうっ♡
こっちは
原作《げんさく》にしか
でてこない
ニューバージョンの
マーキュリーの
ワンピーーッッ♡♡
人形《にんぎょう》……
これはマネキンと
ゆーのでは

あのね
ほたるちゃん
なるるちゃんと
るるなちゃんは
ブランド
だけじゃなくって
アニメのキャラの
ファッション
ショーもスキなのよ
もーアタシ
このポーズ
はずかしい
きゃあきゃあ
試《し》着《ちゃく》
しちゃおーっ
にあう一っっ？
かわいくって
レアな服《ふく》なら
なんでも
着《き》てみたく
なっちゃうん
だって
オンナの
サガよねーっ
ふー↓ん
おおっっ
けんじパパと
進《しん》悟《ご》のフィギュアが
あるぞっっっ
ダイアナの
人形限定版もっっっ♡
…ちろっ
おたく【◦御宅】(代)
①相手の家・家庭・夫・会
社を言う敬語。対義うち。
なた。you
……

ひよこ、
……よかった よろこんで もらえたなの♡
キサマーッツ
タイマンはるか——っっ
ブッ殺すっっ
まあ まあ
フンッ
ボクは 凡松浦《ハンマツウラ》マコト 十月《がつ》二十七日《にち》生《う》まれの B型《ビーがた》なの♡
趣味《しゅみ》は ししゅうなの✿
この質屋《しちや》 ハンマー プライス堂《どう》の 第《だい》十八代《だい》当主《とうしゅ》なの✿
店長
あの二人《ふたり》 こないだ きたときに
こんどの イベントのコスプレ ど〜するぅ? セーラームーンって つくるの チョーかったり〜っ ☆
どっかに 売《う》ってないかな〜っっ マーキュリーの ニューバージョンの フク〜ッ☆
これ くださ——いっ
——だから きっと 気《き》に入《い》って もらえると 思《おも》ってたなの♡

もちろん天下《てんか》ムテキの
パパのゴールドカード→ドでっ！
コーポレートカ→ドでっ
コーポレート
……泡《バブル》
まあまあほたるちゃんっっ
ついていけんっっ
いつもどうもありがとうなの♡
ちょっとおまけしちゃうなの♡
わ～いっ チョラッキ♡♡
店長《てんちょう》
さっきのおにーさんここの店長《てんちょう》さんだったんだ
カワイーッツ ダイアナのシールはってるーっっ いいなーっっ♡
ねねっ店長《てんちょう》～～っそのシャツとエプロンチョカワイ～～ッ♡
それどこで売《う》ってるの？チョホシ～～ッ
きゃわ きゃわ

えっへん
ボクっ ししゅうが シュミなの♡
ああ これはね ボクの お手製《てせい》なの♡
おおっっ
よかったら あしたまでに これと同《おな》じヤツ
四着《ちゃく》 つくって おくなの♡ いるなの？
えーっ ほしーいっっ
きゃあ
きゃあ♡
じゃ あした 放課後《ほうかご》 とりに きまーすっ♡
わーいっ♡ ルナとアルテミスとダイアナの シャツと エプローン♡♡
どろ
どろ〜ん
わーーっ 古《ふる》い蔵《くら》☆
なんかコワーイッ
ホントだーっ
蔵《くら》は 質屋《しちや》の命《いのち》 なの♡
むかしは 質草《しちぐさ》を 保管《ほかん》して おいたなの♡
いまは これから 店《みせ》に出《だ》す予定《よてい》の たいせつな商品《しょうひん》を しまってあるなの♡

これから
店《みせ》に出《で》る
たいせつな
商品《しょうひん》ッ!?
もしかして
宝《たから》の
山《やま》ッ??
いったい
ナニ
ナニッ!?
──ボクの
夢《ゆめ》は……
バイ2♡♡
ささやかだけど
──この質屋《しちや》
ハンマー
プライス堂《どう》を
あの
四人《にん》のよーな
フツーの女《おんな》のコたちが
気軽《きがる》にこれる
カワイイショップに
するコトな・の・♡
つぎの日《ひ》──
ごっめ〰ん
オニH↓《ヒンシュク》ッ?
んも──っ☆
なるるちゃん
るるなちゃん
三十分《ぷん》のちこくよっ☆
なにしてたのよーおっ☆
さおがの
ちびうさも
チョブルよっっ
わるいけど
ほたるは
4ヨバブよっっ☆
30分《ぷん》も
またせやがってっっ

ごめ〜〜〜〜〜〜んっ
ちょっととちゅうでドトっちゃって──っ
ドトる？
…ドトールでお茶《ちゃ》してきたんだって☆
これはトド
……
より道魔《みちま》コンビめ♪
あれ──っ店長《てんちょう》!?
なんかヤキ入れられてますけど
オラオラ
いつまでイキがってんだあ？コラあ
きょうこそ立《た》ちのいてもらうぜっ
ココにハンコおした土地《とち》の引《ひ》き渡《わた》し書《しょ》も
ちゃあんとあんだぜっ
あそこの質屋《しちや》先代《せんだい》さんがバカがつくほど上《うえ》に人《ひと》がよくて
ヒソヒソ
うっかり悪徳不動産屋《あくとくふどうさんや》にだまされていまひどい地上《じあ》げにあってるらしーわよっ
まーひどい
このご時世《じせい》にねーえ

地上《じあ》げかあ☆ たしかに ココ 一等地《いっとうち》 だもんね
おら おら いつまでムリして られっかなあ?
ブオオ…
ブオオオオオ
きゃあああ
にげろーっっ
なるるちゃん! るるなちゃん! あぶないいっっ!!
ブオオオオ

ぽよよーん
あぶな——い
なのねっっっっ
ドッゴーンッ
ハンマー プライス堂
ゴンッ
きゃ〜〜っっ
店長《てんちょう》ッ
しっかり
して〜〜っっ
ぽてっ

ん？
ハンマー質プライス堂
わあああっ
店《みせ》があっ
☆☆なのねっっ
ブオオオオ
わああっっ☆
関東大震災《かんとうだいしんさい》でも
びくとも
しなかった
ウチの
蔵《くら》があっ
なのねっっ☆
妖気《ようき》!?

ひょひ
ぞくっ
ぞわぞわっっ
ドロドローン
ホホホホ
ほっっ
ほたる
ちゃんっっっっ!?
ホホホホホ
わちきは
このお蔵《くら》に
巣《す》くう地霊《ゲニウス・ロキ》
プリティー♡
ゴースト
おたクーラ
さまじゃ♡
神聖《しんせい》なる
わちきの眠《ねむ》りを
さまたげる
やからは
ゆるさん
ぞええ〜〜〜

わ〜〜〜んっ ほたる ちゃ〜〜〜ん
ゲゲッ☆ また ゴーストが 出《で》たの!?
なんだ なんだ
サンバな おばけだぞ
うさぎ!?
ちびうさ!?
なるるっ!
るるなっ!
ガしっ
あれも地上《じあ》げ屋《や》の しわざっ!?
もしかして これは チョ↓MY《マジヤバ》ッ!?
これは まさしくっ!
あたしたちの 出番《でばん》だわっっ!

変身《へんしん》よ！
ちびうさ!!
シルバー・ムーン・クリスタル・パワーーッッ！
ピンク・ムーン・クリスタル・パワーーッッ
メイク・アーーッップ!!
さあ！
あたしたちが
きたからには
地《じ》上《あ》げ屋《や》
だろーが
ゴーストだろーが

おまちなさー↓いっっっ！
え？
ひとり
ボッチャー↓な
おたくのオアシス！
あ↓んど！
あたしたち
コギャルの
心《こころ》のやすらぎ
質屋《しちや》
ハンマー↓プライス堂《どう》を
地《じ》上《あ》げっちゃ
お↓だなんて！
チョベリバ
MM《マッハムカツク―ッツ》ッッ!!
なんだ
コラあ
おまえらはっ

小学生《しょうがくせい》コスプレイヤー↓るるなっ♡
あー↓んどなるるよっ♡
せっかくるん^{2}気分《きぶん》でここへきたのにあー↓んたたちのおかげで

あたしたち
超《チョーッ》
ホワイト・
キックよー↓ッッ
おおっっ
新《しん》キャラッ??
アイドルッ??
キューッック!
パシャッ
いやーん 下《した》から あおんないでーっ
パシャッ
カオも ちゃんと とってねーっ
ちなみに ホワイト・キックで 白《しら》・ける……
アンタ 主役《しゅやく》の座《ざ》 あやうしーっっ
なトキに なにいってんの よ〜〜〜
えへへー…
ピキピキピキ

ここは コスパ会場《かいじょう》じゃ な〰〰いぞえっっ
おたク〰〰ラッ みんな まとめて
おクラ 入《い》り〰〰っっっ
ゴゴゴゴゴゴ
ぎゃあああ〜〜〜んん
わわわっ これは まさしく 小《ちい》さいころ ばあちゃまの いっていた……
ゴゴゴ
お蔵《くら》には 守《まも》り神《がみ》さまが いるなのじゃ お蔵《くら》を こわすと たたりが あるなのじゃ〰〰
わ〜〜んなのーーっっ

お蔵《くら》の守《まも》り神《がみ》さまのたたりなの〜〜っっっ!!
ゴゴゴゴゴ
日本そば
ひえ〜〜〜なのっっっっ
はっ
まさかっっっ!!
あれはセーラームーン!?
ちびムーン!?
なのっっっ!?
主人公《しゅじんこう》なのにおクラ入りなんてそんなバカなっっ
ゴゴゴゴ
ゴゴゴゴ
せっかくのコスプレがお蔵《くら》入《い》りなんてイヤ〜〜〜ンン
なるるちゃんとるるなちゃんが!!
なのっっ
こうしちゃいられないっ!なのっっっ!!
ガチャーーン!!
よおお〜〜〜〜〜し!!
なのっっっ!!
店内《こんな》なのっっ

ザザザッ
え？
えっ？
ぽよん
この感触《かんしょく》は
あなたは……
わたしの名《な》はでぶっちょ仮面《かめん》
……とでもしておいてほしいなの♡

でぶっちょ仮面《かめん》さま…♡
ガ
セーラームーン！ちびムーン!! いまなの!!
え？
お蔵《くら》の守《まも》り神《がみ》さまをしずめてほしいなの！
よろしくなのねっっ!!
え!? セーラームーン!? ちびムーン!?
やった！出番《でばん》がまわってきたわよ ちびムーン──ン!!
スタッ

スターライト・ハネムーン!!
ダブル・セラピーキーッツッス!
ほたるちゃんにとりついた悪霊《あくりょう》ッッ!きえろ〜〜っっっ

(掲載《けいさい》＝「なかよし」1996年《ねん》8月号《がつごう》)

でぶっちょ仮面《かめん》さまッ!?
はっ☆はっ☆
ささっ
ムギュ
さささっ
そー
ぴらっ
土地引き渡し書
(有) ハンマープライス堂
ビリッ
バンザーイッツ
これで あたしたちの ハンマープライス堂《どう》も
パッ
安泰《あんたい》よ～～
超《ちょう》AS《あんしん》ーーッ♡
やったわねっ なるるっ
やったわねっ るるなっ

ボキッ
ブシャ
数《すう》か月後《げつご》――
ハンマー質プライス堂
しょえ〜〜っっ☆
あのハンマープライス堂《どう》がこーんなにキレイなビルになっちゃうとは☆

店《みせ》のシンボルのあの羽《はね》のマークはボクが彫《ほ》って作《つく》ったなの♡
自信作《じしんさく》なの♡
へーっ
器用《きよう》ーッ
もちろん蔵《くら》はキレイになおしておはらいしてもらったなの♡
火川神社《ひかわじんじゃ》でなの.
ごっめー↓ん
あたしたちってばま↓たちこく――↓っ!?
ちょっととちゅうで
湯《ユ》・流《ル》・死《ジ》・手《テ》〜〜ッツ
オケっちゃってー―↓っ♡
オケる？
カラオケボックスいってたんだって
あー――なるるっ！
きょうは塾《じゅく》の日《ひ》でしょ!?
まーたカラオケいってサボッたの!?
ゲゲゲッツ
おねー↓ちゃんっっ
なぜここにっっっ
え？なるちゃんの妹《いもうと》だったの？
大阪《おーさか》なるのいもーと大阪《おーさか》なるる、ぶ3でーす，
四六死苦《ヨロシク》ーッツ

ねねっ ほたるちゃんっ!
がしっ
あのトキ あのさわぎで ちびうさちゃん さがせなかったケド ほたるちゃんも見《み》たでしょ!? セーラームーンと ちびムーン!!
このコトは あたしたち だけの ヒ・ミ・ツねっ♡
ちびうさちゃんてさ ちびムーンに にてると思《おも》わないいっ?
あ! でも これも ちびうさちゃんには ナ・イ・ショよっ
Pi
Pi
Pi
Pi
もちのろんよっ♡
くすっ
それにしても……♡
でぶっちょ仮面《かめん》さま……♡
オトナのオトコだったわねー♡
いったい どんな ヒトなの かしら…♡
ぽよぽよんっ
今日《きょう》もいいてんきなのーっ♡♡

あ なるるちゃん るるなちゃん 蔵《くら》にあった ボクの大作《たいさく》 お店《みせ》に 出《だ》したなの♡ 見《み》てほしい なの♡♡
チャンネルの 十二単《じゅうにひとえ》〜〜っ♡
ほし〜〜いっっっ
グッチッチの ゆかた だ〜〜っ♡
買《か》ったーーッッ!!
きゃ〜〜〜〜ん
そーだ! ほたるちゃん! ナイショ だけど
チョレてな ネタよっっっ
ヒソッ
セーラームーンも どうやら この質屋《しちや》の 客《きゃく》だったみたいよ!
だって エターナル セーラームーンの 背中《せなか》の羽《はね》
ハンマー質プライス堂
この店《みせ》の シンボルの あの羽《はね》と 同《おな》じだったもんっ!
そっかー もしかして セーラームーンの 羽《は》根《ね》は店長《てんちょう》が? まさか コスチュームも? うーん…
★★おわり★★

おまけ

小学生《しょーがくせー》 コスプレイヤー るるなっ
あーんど なるるっっ 参上《さんじょー》ッツ ♡
きゃーんっっ 風《かぜ》がーっっ
ちょぶちょばーっっっ
ぶわっ
ワハハハハッ わたしの名《な》は タキシード仮面《かめん》ッ!!
ぱんっ
ツーッ 2
マルッ ○
見《み》えだっっ さらばだっっっ!!
さーて コマもなくなってきたし これからどーするラ?
ちょっとトリってくラー↓?
びよーん
ム♡ネ♡キュ♡ンッ
あれが タキシード仮面《かめん》さまー↓っっ !?
チョーヤガモッッ
えっちーっっ
ヤガモ?? トリる???
これはドリル
算数
これーはフェラガモのくつ
ヤガモは矢《や》がムネにささること トリるはケンタッキーへいくことだって
まもちゃん…しくしくしく

いやー　びっくりびっくり　✿　おしまい♡

1

'96 11/3. きょうは有明《ありあけ》で「ミュージカルセーラースターズ・スーパーライブショー」があったの.
いやー.セーラー戦士《せんし》たちのおわらい系《けい》のおしゃべりと歌《うた》.たのしかったわー♡
しばらくかいてなかったので ひさしぶりに ミュージカルのおはなしっ♡

セーラームーンほどすてきなSHOW《ショー》はない〜ッ

セーラームーンのミュージカルも'96で4年目《ねんめ》. なんと過去《かこ》最高《さいこー》の入りだった'96サマースペシャルミュージカル『セーラースターズ』を見《み》てくれた?(ビデオもチェック!)ナオコは千秋楽《せんしゅうらく》におジャマしました♡ 実《じつ》のトコ.ナオコはアニメもミュージカルもけっこうはずかしいの.♪ とくに原作《げんさく》の部分《ぶぶん》がでてくると.とにかくはずかしくてうわーん こんなセリフ使《つか》うんじゃなかった! どーしてもっとカッコイイ展開《てんかい》にしなかったの? やめてーっちがうのよーってな風《ふう》に♪ てれてしまってくだけどこのミュージカルは. 原作《げんさく》とかアニメとか そんなコト考《かんが》えるスキを与《あた》えず とばすとばす. セーラームーンってこんなに自由《じゆう》でこんなに可能性《かのうせい》のある世界《せかい》だったの!? とびっくりするする.

ほんっとーに! たのしめたのだ♡♡

まずイントロの はるかとみちるのコンサート・シーン. 2人《ふたり》のお衣装《いしょう》にクラッときた. やっぱしこの2人《ふたり》にはニーヤーゴーカなシーンを演《えん》じてほしかったのよね ナオコは♡♡ スリーライツもアニメよりずっとカッコイイぞっ! とくにセイヤがみずみずしくって♡ あとね白衣《はくい》のプルさまにまたしてもクラッ♡ せつなさまがそこにいるワケ♡ ほたるちゃんの描《えが》きかたも.らしかったわ♡ ギャグのシーンもかわいかったし♡ あと.アイアンマウスとギャラクシアさま.あーんなにまんま3D《スリーディー》化するなんて! とくに衣装《いしょう》がこってた! リアル!(アイアンマウスはコスプレを2回《かい》みたけど白《しろ》い毛《け》のふわふわがかわいいのーっ♡)
あとねあとね. ヒットだったのはやはしまーもちゃんでしょう!
今回《こんかい》のまもちゃんの在《あ》り方《かた》はとっても理想《りそー》ッ! とーくーにー まもちゃんのバカ殿《との》サマ♡ まもちゃんはあーでなくちゃいけないのっね! と目からうロコがポロポロ. タキシード仮面《かめん》さまのライバルってアイディアも大《だい》ヒット♡(望月氏《もちづきし》.笠原氏《かさはらし》.おもしろかったよー♡)
とにかく全員《ぜんいん》の役者《やくしゃ》さんたちが役《やく》をホントにかみくだいて信《しん》じられないくらい自然《しぜん》に演《えん》じてくださってるの. 亜美《あみ》ちゃんとタイキさまのおとぼけもおもしろかったー♡ うさぎもとばしまくってて(笑)
そしてうさぎとまもちゃんのラブラブなドキドキのデュエット♡
そして完成《かんせい》されたシャドウ.ギャラクティカのシーン! ナオコがまーさーにーっ! もとめてた戦隊《せんたい》モノのノリがそこにはあったのー! コレッ! コレなのよっっ! コレをやってほしかったのよおおっ♡ 大歓喜《だいかんき》ッ♡

なかよしでプレゼントしたスタンプ
あたったヒトはラッキー♡♡

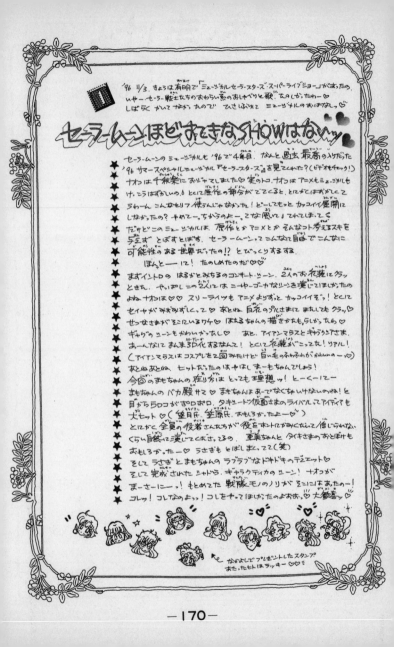

アニメで
ちびちびが
はしるトキ カミのけが
ゆらゆらゆれるのが
すっごく
カワイイッ♡

——なにより。ドラマの中《なか》の
メッセージが本当《ほんと》のコトバと
して伝《つた》わってくるの。(それは
ナオコがどっぷりはいりこんでいた
からかな。ウチのスタッフちゃんも
ボロボロないてたのよーっ)
本当《ほんとー》にセーラー戦士《せんし》たちと
いっしょにドキドキわくわく
まるでディズニーランドへいって
たのしんですっきりしたよーな充実感《じゅうじつかん》!
曲《きょく》もよかったしねっ♡
(小坂《こさか》せんせー。冬杜《ふゆもり》せんせー ありがとーっ♡
ナオコはテレビもやってほしかったーん)
演出《えんしゅつ》も いろんな舞台《ぶたい》のパロディっぽくて。
あとね。照明《しょうめい》コレクターの(いえ♪アンティークだけですが)ナオコから見《み》て 今回《こんかい》。
ライティングがとってもグーッ!! ライトの
色《いろ》が効果的《こうかてき》で「黒《くろ》」がとても生《い》きてたの!!

もー たった2じかんで まんがもアニメも近《ちか》づけない
超《ちょー》オモシロイ『セーラースターズ』が見《み》れるなんて!!
ナオコーは、大《だい》まんぞくっ、♡♡
見《み》れなかったヒトッ。くやしがって♡ 見《み》たいでしょう?
さあ。冬《ふゆ》の'97ウィンタースペシャルミュージカル
『セーラースターズ』は! 見《み》にいかないと
コーカイするわよ、♡♡

さて。きょう有明《ありあけ》のスーパーライブショーの帰《かえ》り。
ナオコはお台場《だいば》から竹芝《たけしば》(浜松町《はままつちょう》)まで
船《ふね》で帰《かえ》ったんだけど。(ゆりかもめ、こんでるんだもーん)
すごいのよ〜〜ッキレイなのよ〜東京湾《とうきょうわん》の
夕《ゆう》ぐれの夜景《やけい》がッ!! 竹芝《たけしば》。まるで
東京《とうきょう》のマンハッタンのようだわ——っ、、、♡♡

◎ きょうはカナダと
フィンランドのファンからの
ファンレターをよんだの!
みんな♡ いつも
ホントーにありがとーっ♡

◎ そーいえば サイン会《かい》で
なんと「月の砂」を
いただいちゃった!
(蓮前サマ ありがとーっ♡)
すっごーいっ! どーやって手に
入れたのかな?? ホンモノかな?
すっごい貴重なモノだよね〜〜

さて! いよいよ! なんと! とうとう! セーラームーン。
最終巻《さいしゅうかん》ッ! ⑱巻《かん》(ドキドキ)で またゼッタイあおうね♡
ここまでよんできてくれて ほんとーにありがとー、♡♡
…—あいをこめて♡ Naoko♡Takeuchi♡—…

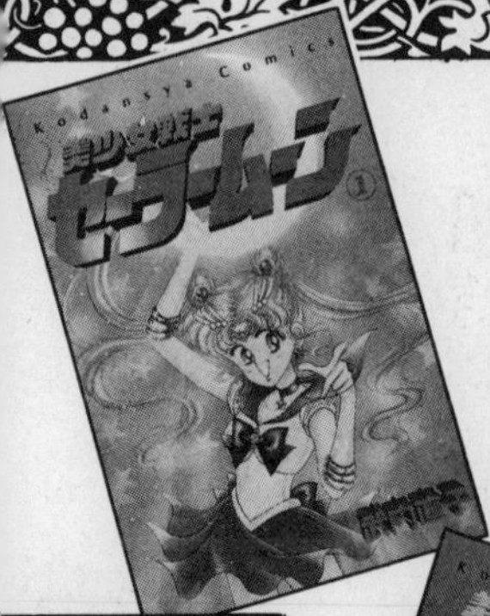

美《び》少《しよう》女《じよ》戦《せん》士《し》
セーラームーン

NAOKO TAKEUCHI

●なかよしKC《ケーシー》

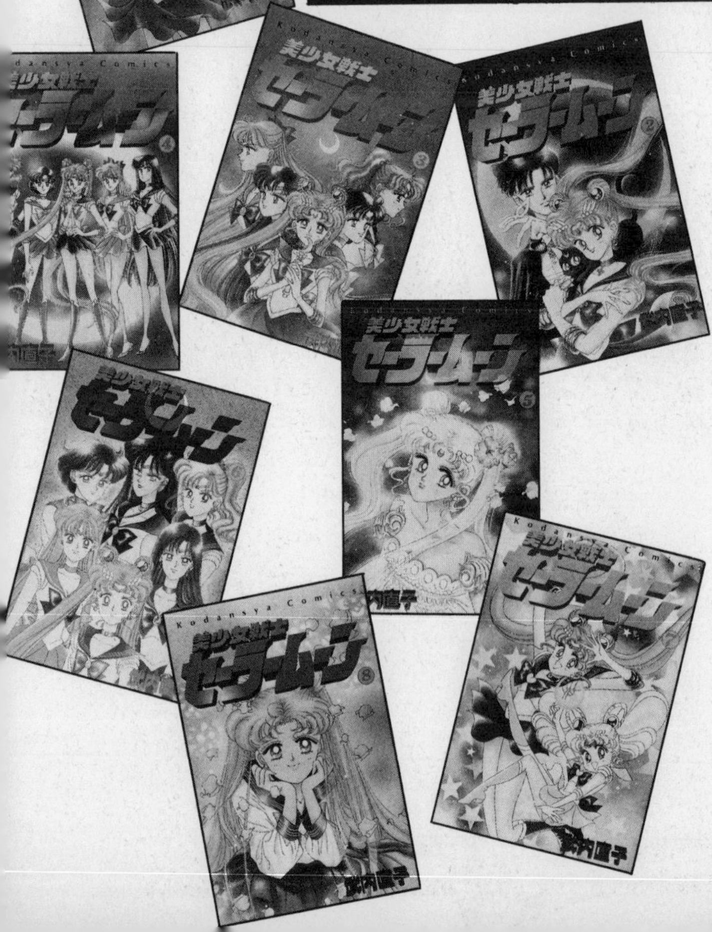

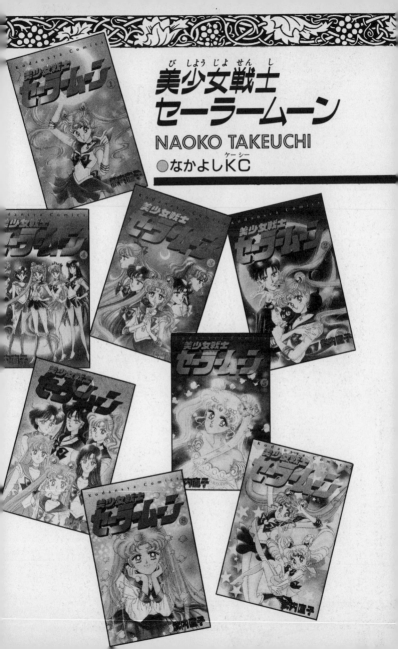

Pretty Soldier Sailormoon
BOOK COLLECTION
美《び》少女《しょうじょ》戦《せん》士《し》セーラームーン
単《たん》行《こう》本《ぼん》リスト

♥「KC《ケーシー》なかよし」は、「なかよし」に掲載《けいさい》された作品《さくひん》を中心《ちゅうしん》に、すぐれた作品《さくひん》をえらんで、つぎつぎにおおくりします。

♥いままであなたがお読《よ》みになった少女《しょうじょ》まんがの中《なか》で、いちばん印象《いんしょう》にのこっている作品《さくひん》、もう一どまとめて読《よ》みたい作品《さくひん》がありましたら、おしらせくださいませんか。

♥また、この本《ほん》を読《よ》んだご感想《かんそう》・ご意見《いけん》などもおきかせねがえれば、たいへんうれしく思《おも》います。

＝あて先《さき》＝

東京都文京区音羽二丁目十二番二十一号
〈郵便番号一一二―〇一〉
講談社　なかよし編集部
「KCなかよし」係

N.D.C.　726　171p　18cm

講談社コミックスなかよし　八四九巻
美《び》少女《しょうじょ》戦《せん》士《し》セーラームーン⑰
1996年12月6日　第1刷発行
(定価はカバーに表示してあります)

著者　武《たけ》内《うち》直《なお》子《こ》
発行者　三樹創作
発行所　株式会社　講談社
東京都文京区音羽二―一二―二一
(郵便番号一一二―〇一)
〈電話〉
編集部　東京03(五三九五)三四八〇
KC販売部　東京03(五三九五)三六〇八
印刷所　廣済堂印刷株式会社
製本所　株式会社　国宝社

落丁本・乱丁本は、小社雑誌業務部宛にお送りください。送料小社負担にてお取替します。
(電話03―5395―3603)
なお、この本についてのお問い合わせは、なかよし編集部宛にお願いいたします。

ISBN4-06-178849-3　(な)　Printed in Japan

Kodansha Comics